DU MÊME AUTEUR

Aux Éditions Gallimard

LE GOÛT DU MALHEUR, roman, 1993 (Folio n° 2734).

MORNY, UN VOLUPTUEUX AU POUVOIR, essai, 1995 (Folio n° 2952).

BERNIS, LE CARDINAL DES PLAISIRS, essai, 1998 (Folio n° 3411).

UNE JEUNESSE À L'OMBRE DE LA LUMIÈRE, roman, 2000 (Folio n° 3768).

UNE FAMILLE DANS L'IMPRESSIONNISME, coll. Livres d'art, 2001.

NOUS NE SAVONS PAS AIMER, roman, 2002 (Folio n° 4009).

LE SCANDALE, roman, 2006 (Folio n° 4589).

LA GUERRE AMOUREUSE, roman, 2011 (5409).

NAPOLÉON OU LA DESTINÉE, biographie, 2012 (Folio n° 5790).

Aux Éditions Grasset

LA FUITE EN POLOGNE, roman, 1974.

LA BLESSURE DE GEORGES ASLO, roman, 1975.

LES FEUX DU POUVOIR, roman, 1977. Prix Interallié.

LE MYTHOMANE, roman, 1980.

AVANT-GUERRE, roman, 1983. Prix Renaudot.

ILS ONT CHOISI LA NUIT, essai, 1985.

LE CAVALIER BLESSÉ, roman, 1987.

LA FEMME DE PROIE, roman, 1989.

LE VOLEUR DE JEUNESSE, roman, 1990.

L'INVENTION DE L'AMOUR, roman, 1997.

LA NOBLESSE DES VAINCUS, essai, 1997.

ADIEU À LA FRANCE QUI S'EN VA, essai, 2003.

MES FAUVES, essai, 2005.

DEVOIR D'INSOLENCE, essai, 2008.

CETTE OPPOSITION QUI S'APPELLE LA VIE, essai, 2009.

Suite des œuvres de Jean-Marie Rouart en fin de volume

NE PARS PAS AVANT MOI

JEAN-MARIE ROUART
de l'Académie française

NE PARS PAS
AVANT MOI

roman

GALLIMARD

Il a été tiré de l'édition originale de cet ouvrage
trente exemplaires sur vélin rivoli
des papeteries Arjowiggins numérotés de 1 à 30.

Si je cueille à la dérobée un instant de bonheur, il est troublé par la mémoire de ces jours de séduction, d'enchantement et de délire.

CHATEAUBRIAND

Tout n'est que signes, masques et symboles, et peut-être qu'un jour nous saurons de quoi.

P.-J. TOULET

PREMIÈRE PARTIE

LA PASSION

Brève rencontre

J'avais dix-sept ans. Ce soir-là, je n'attendais rien de la nouvelle année. Pourtant j'en attendais tout. J'avais peur de m'enliser dans une existence grise et banale et, au fond de moi, j'étais gonflé d'espoir. Quelque chose allait-il enfin m'arriver ? Un événement qui m'emporterait. J'en avais assez de la monotonie. J'aspirais à rencontrer la vraie vie : je l'imaginais intense, romanesque, parfumée d'aventures. Dans l'avenue de Breteuil voilée de brume, trouée par le halo des réverbères, je me dirigeais vers un réveillon. Rien n'inspire plus le cafard que les fêtes obligées où l'on doit mimer une gaieté d'emprunt. Cette soirée, je ne la voyais pas seulement comme une occasion d'amusement. J'en espérais beaucoup plus : une rencontre. Seule une rencontre a le pouvoir de changer la vie. Je le pensais alors, je le pense toujours. Qu'importe que ce fût avec une femme cruelle. Je ne rechignais pas à un rendez-vous avec le malheur pourvu qu'il m'arrachât à ce rien où je m'étiolais. Que se passerait-il si après cette fête je me retrouvais à l'aube sur le carreau, seul ?

Les beaux immeubles bourgeois bordés de grands arbres donnaient à cette avenue un air de richesse. On respirait l'opulence des nantis. Je sentais de manière presque palpable l'orgueil de propriétaire de ceux qui y habitaient. Les clochards qui se rencognaient dans les portes cochères pour se protéger du froid me semblaient plus fraternels. Leur misère, leur dénuement n'étaient pas inhumains comme la richesse. Ils étaient seulement rejetés. D'une certaine façon, je l'étais aussi. Certes je n'avais pas envie de me vautrer dans la saleté, le gros rouge et l'odeur d'urine. N'étais-je pas à égale distance de ces deux mondes ? Ni riche ni pauvre : mais alors quoi ? Quelle était ma place ?

Je manquais de nuance. J'étais encore sous l'influence de mes lectures : je venais de lire *Le Rouge et le Noir* et *Crime et Châtiment*. L'antagonisme social qu'ils développaient me marquait : d'un côté il y avait les riches, de l'autre les pauvres. Les premiers exploitaient les seconds ; et les seconds voulaient devenir les premiers. Je m'identifiais à Julien Sorel et à Raskolnikov, qui m'enfermaient d'autant mieux dans ce schéma simpliste que j'étais un de ces jeunes bourgeois désargentés qui, comme les demi-soldes sous la Restauration, sont toujours déchirés entre leur passé et leurs rêves. À ceci près que j'aurais été bien en peine de tirer un coup de pistolet sur ma maîtresse, vu que je n'avais pas plus de maîtresse que de pistolet. Je ne me voyais pas non plus assassiner une vieille usurière. J'en aurais été incapable. J'étais trop sensible. Pour ces héros, on ne pénétrait dans la *bonne société* que par effraction ; celle-ci se défendait et repoussait les assaillants. Ne parvenaient à leur fin que quelques ambitieux doués, sans beaucoup de scrupules et armés de résolutions puisées dans le *Mémorial de Sainte-Hélène*. Ce n'était pas complètement faux mais c'était naïf, inspiré par cette géniale naïveté des romanciers qui recréent le monde en le colorant des rêves de leur adolescence. Comment n'aurais-je pas flambé moi aussi en les lisant ? Leur adolescence parlait à la mienne.

Je parvins aux abords de la maison où avait lieu le réveillon. Une entrée imposante où, entre les colonnes doriques, des miroirs me renvoyaient mon reflet ; des tapis moelleux, un ascenseur vieillot aux cuivres luisants qui sentait le pain d'épices. Des flots de musique me parvenaient tandis que l'ascenseur me hissait en hoquetant au cinquième étage. Le tourbillon des invités et des danseurs m'aspira. J'étais entraîné, bousculé, sans trouver la ressource d'aucun visage connu. La jeune maîtresse de maison, Chantal, vint me secourir. C'était un tanagra ; ses yeux un peu bridés, ses manières cérémonieuses lui donnaient un faux air de Chinoise. Je l'avais connue, l'été, à Noirmoutier. Elle avait un penchant pour moi que je n'avais rien fait pour mériter : je n'avais comme argument pour la séduire que d'avoir fait chavirer, au large de la plage des Dames, le petit voilier, un vaurien, dont elle m'avait imprudemment confié la barre. N'osant lui avouer mon incompétence, nous avions sombré corps et biens, barbotant un long moment dans l'eau froide avant que la vedette des secours en mer ne vienne nous repêcher. Je lui en voulais de m'avoir offert l'occasion d'une humiliation publique. C'était peu chevaleresque de faire chavirer l'esquif d'une jeune fille. Pourtant je pense que c'était cette maladresse qui lui plaisait chez moi. Elle me sentait perdu. Du haut de la fortune de ses parents, elle éprouvait un sentiment de commisération pour le maladroit que j'étais, mal dans sa peau, et pourtant plein de fièvre. Elle pressentait en moi une destinée de rêves

15

chimériques, d'ambitions désordonnées, donc d'échecs, qui suscitaient en elle une tendre pitié. Ce soir-là, la tentation était grande de m'accrocher à elle comme à une bouée, la bouée qui nous avait cruellement manqué dans la baie de Bourgneuf. Requise par ses obligations de maîtresse de maison, elle me présenta à une longue et assez belle jeune fille brune, vêtue d'une robe rouge, qui s'était réfugiée près du buffet après avoir cassé le talon de son escarpin. Je l'entrepris, tentant de me faire entendre à travers le brouhaha et la musique assourdissante de l'orchestre brésilien. Elle me souriait d'un air crispé tout en se tenant la cheville pour jeter un œil dépité sur le dessous de son soulier comme si elle espérait qu'un miracle lui rendrait son talon. La soirée commençait mal pour elle. Peut-être était-ce ma chance après tout ? Son handicap m'ouvrait de sérieux espoirs de réussite. Je ne l'imaginais pas claudiquant toute la nuit sur la piste de danse. Elle aurait besoin de réconfort, d'une oreille attentive, car qui voudrait s'embarrasser d'une cavalière impotente ? Déjà naissait en moi l'espoir de ne pas finir la soirée seul. Sa conversation était moins prometteuse que la gracieuse perspective de ses jolis seins entrevus alors que pour la énième fois elle se penchait pour observer le talon qui l'avait trahie. Mais un jeune homme blond, vêtu d'un smoking, arborant une assez ridicule fine moustache blonde qui lui donnait l'air d'un gommeux, vint lui parler. Après quelques mots échangés, il l'entraîna, toujours claudicante, dans une autre pièce. Elle me laissa en plan sans une parole d'excuse ni même un sourire.

Je me consolai en buvant un punch brésilien, une batida. Ragaillardi, j'entamai une conversation avec un grand type à l'air un peu niais, qui fumait cigarette sur cigarette, et semblait ne s'intéresser à rien hormis le poker. Je regardais autour de moi. J'étais dans le pire état d'esprit qui soit : impatient qu'il m'arrive quelque chose et incapable de provoquer la moindre rencontre. Je ne me sentais aucun courage pour aborder les belles filles qui me plaisaient. Je les regardais comme des créatures lointaines et inaccessibles. Un fatalisme d'Arabe me clouait près du buffet. C'était commencer le réveillon sous les plus mauvais auspices.

J'étais plongé dans ces réflexions, lorsqu'une jeune femme s'approcha de moi et m'adressa la parole avec assurance. Outre son intérêt pour moi qui lui donnait du charme, elle était, sans être très belle, pleine de séduction : elle avait du chien, comme on disait dans les années trente. Des paupières un peu lourdes, des cernes suggéraient qu'elle avait vécu, qu'elle connaissait les hommes et, en un mot, qu'elle n'avait pas froid aux yeux. Son ton familier, son aisance, son langage parfois un peu cru, et même sa voix aux intonations gutturales, éraillée par l'abus de cigarettes, renforçaient cette impression. Je l'invitai à danser. Le parfum de sa chevelure d'un brun roux m'enivra. Son corps s'ajustait délicieusement au mien. J'avais l'impression de l'avoir toujours tenue dans mes bras. Tout cela semblait prometteur. Comme je gambergeais pendant cette danse sur une mélodie suave des Platters ! L'orchestre brésilien, pour se reposer, avait branché l'électrophone. Je pressai sa main doucement dans la mienne. Elle répondit à ma pression. Je tendis mes lèvres vers elle. Elle se contenta d'y poser un baiser. J'en conclus – un peu rapidement – que contrairement aux apparences je n'avais pas affaire à une fille délurée mais à une femme à principes.

Combien de temps passa ainsi ? Tantôt je dansais avec elle, tantôt un fâcheux venait l'inviter. Nos liens se renforçaient ; une complicité naissait. Un peu avant minuit, elle me demanda de l'accompagner à un autre réveillon auquel par devoir d'amitié elle ne pouvait se soustraire. Cette proposition me conforta dans mes espérances. Je quittai la fête en embrassant distraitement Chantal, le tanagra, qui me regarda partir d'un air désolé. Je laissais, comme je devais le faire si souvent, la proie pour l'ombre, une jeune fille aimante et compréhensive qui m'aurait conduit vers un bonheur fade mais tranquille pour des aventures qui, après de folles illusions, risquaient de ne mener nulle part.

Dans le taxi qui nous emmenait boulevard Haussmann, elle m'abandonna ses lèvres. Sa bouche brûlante me confirma tout ce que j'imaginais d'elle : elle était fougueuse et réservée. Tandis que le chauffeur nous lorgnait dans son rétroviseur, s'insinuait en moi une idée délicieuse : peut-être étais-je enfin en train de serrer dans mes bras la femme que j'attendais depuis si longtemps.

L'immeuble du boulevard Haussmann résonnait jusque sur le trottoir du vacarme d'une fête à tout casser. Sur le palier, le portemanteau effondré sous le poids des vêtements, que personne ne songeait à rétablir, donnait une impression de laisser-aller. Dans l'entrée, on était saisi par une forte odeur de vomi qu'on avait tenté de dissimuler sous des aspersions de parfum vétiver. Ce réveillon était beaucoup plus mélangé que celui de Chantal : des hommes et des femmes de tous âges se déchaînaient dans les flots d'une musique hurlante ; on s'empêtrait dans les serpentins accrochés aux lustres. Tout le monde s'embrassait à qui mieux mieux ; des couples enlacés sur des canapés se léchaient et se tripotaient sans aucune gêne. La cohue était telle que je craignais d'être séparé de ma compagne. C'est ce qui arriva en effet. Pendant un long moment, je la cherchai. Je la retrouvai en conversation avec la maîtresse de maison, une petite femme noiraude et boulotte avec laquelle elle faisait une licence en droit. Elle me prit la main pour ne plus me perdre et ce geste simple m'émut. Tout, décidément, m'attachait à elle. Je lisais dans les yeux des hommes qu'ils enviaient ma chance. Le fait qu'une femme sensiblement plus âgée, pleine d'expérience, ait jeté son dévolu sur moi me rassurait. J'avais enfin le sentiment d'exister.

Soudain elle disparut. Je la cherchai à travers les pièces en désordre de l'appartement. En vain. Les invités se déchaînaient de plus en plus. Une femme assez laide montée sur une table exhibait son porte-jarretelles qui enserrait d'une résille noire ses grosses cuisses semblables à d'énormes salamis. Les hommes étaient cuits comme des homards. Les femmes avaient le regard vide. Enfin ma compagne réapparut. Cette fois elle était accompagnée d'un bel homme blond, à la carrure athlétique, qui avait un bras en écharpe. Une chevalière en or brillait à son index. Tout dans sa personne semblait me signifier qu'il avait des droits sur elle. Plus, à l'évidence, que je n'en avais moi-même. La jeune femme se pencha vers moi et me dit en m'embrassant sur la joue :

— Désolée, je suis obligée de partir. Ne m'en veux pas.

L'homme, de l'air d'un possesseur mécontent, me jeta un regard méprisant et l'entraîna vers la porte.

Accablé, incrédule, je la regardai partir. Je butais sur un mur : pourquoi cette conduite incompréhensible ?

Pourquoi m'avoir témoigné tant de tendresse pour m'abandonner sans explication ? Mon esprit tournait dans le vide.

Pressé de quitter au plus vite cette fête, je me souvins que j'avais une invitation à un autre réveillon. Mais que pouvais-je bien attendre d'une fête à laquelle j'arriverais si tard ? Rien, je n'en attendais rien. Je pris un taxi pour cette soirée qui se tenait à Auteuil, villa de La Réunion, avec autant d'enthousiasme que si je me rendais dans un hôpital. Cette aventure m'avait dégrisé de toute illusion. Et pourtant il fallait vivre. C'est ce qu'on dit. J'en doutais.

Le chat du destin

Combien d'années avaient passé ? Tant et si peu. J'étais encore dans les beaux quartiers par une matinée froide et ensoleillée de janvier. L'immeuble situé rue Guynemer ouvrait sur le jardin du Luxembourg. J'étais en face d'un vieil homme au regard malicieux. Des tableaux aux couleurs criardes couvraient les murs de l'appartement. D'horribles croûtes. Dans un coin du salon, débordant de livres, une toile inachevée sur un chevalet montrait que le maître venait d'interrompre son œuvre. D'ailleurs, la pièce sentait encore l'essence de térébenthine, odeur qui se mêlait aux chauds et réconfortants effluves d'un cake venant de la cuisine.

L'homme paraissait très vieux. Plus que nonagénaire, ayant allègrement dépassé la frontière du grand âge, sa vivacité intellectuelle, l'acuité de son regard qui me perçait à jour le rendaient extraordinairement présent et presque jeune. L'alacrité de son propos, par une sorte de penchant naturel, virait à la causticité quand il ne frisait pas la méchanceté – je sentais qu'il se retenait. Il me faisait penser à ces légumes ou à ces fruits qui, grâce au vinaigre dans lequel ils baignent, gardent intacte leur fraîcheur. Assis dans un fauteuil Voltaire, une canne à la main dont il frappait le sol pour ponctuer son discours, il me jaugeait. Il y avait chez lui du régent de collège habitué aux faux-fuyants et à la roublardise des mauvais élèves en même temps que de l'onctuosité du prêtre, prêt à accorder son pardon à toutes les créatures du bon Dieu à la condition qu'elles se soumettent. Couronnant les sentiments toujours vifs qui se partageaient son cœur, régnait une vanité de vieillard qui portait sur sa longue vie un regard complaisant d'orgueilleuse satisfaction. Quelles distinctions n'avait pas reçues ce grand catholique qui aimait la puissance et la gloire ? Toutes celles que prodigue la République, auxquelles s'ajoutaient les honneurs que l'Église réserve à ses grands serviteurs ; et, particulièrement, le privilège qui le flattait le plus : il avait été l'ami et le confident du pape Paul VI et aussi l'interlocuteur assidu du président de la République François Mitterrand, qui dorlotait avec lui ses souvenirs de Vichy et le consultait sur une question qui, à juste titre, le préoccupait : la mort.

J'étais devant Jean Guitton. Je passais avec lui l'examen le plus bizarroïde qui soit sans doute au monde : l'épreuve la moins codifiée qui tient à la fois de l'entretien d'embauche avec un directeur du personnel, de la tentative de séduction d'une jolie femme, et de la visite pour les étrennes à une grand-tante, très vieille et très riche, que l'on tente d'amadouer et d'aiguiller sur le choix de son plus digne héritier. J'étais en train de me livrer à un exercice périlleux : une visite académique. J'avais fait un bout de chemin depuis mon sinistre réveillon.

Jean Guitton m'observait du rayon laser de son œil, ponctuant toujours de sa canne nos propos, scansion qu'il me fallait interpréter comme un langage en morse, car elle marquait alternativement tantôt l'approbation, tantôt une visible impatience.

Le couvrir d'éloges ne suffisait pas. Encore fallait-il que ces éloges le fussent à bon escient. Je le félicitai pour les articles qu'il venait de publier quelques jours plus tôt dans *Le Figaro* sur la Vierge Marie. Il me semblait que, m'adressant à un grand catholique, c'était un sujet susceptible de m'attirer sa bienveillance. J'avais pris des libertés avec les conseils amicaux que m'avait donnés Pierre Moinot, qui avait rédigé des fiches sur chaque académicien en préparant sa candidature. Or la fiche concernant Jean Guitton stipulait cette injonction soulignée en rouge : « Lui parler de sa peinture ! » Et, en codicille, ce conseil : « Éviter d'évoquer son confrère André Frossard. » Les deux hommes étaient en effet en délicatesse : tous deux grands catholiques, éditorialistes rivaux au *Figaro*, confrères à l'Académie, leur ancienne amitié n'avait pas résisté à la jalousie : ils soupiraient l'un et l'autre pour obtenir la faveur des audiences papales.

Je parlais donc de la Vierge Marie. Je me sentais intarissable sur ce sujet, où il excellait, alors que j'étais beaucoup plus réservé sur son hideuse peinture. Ce qui prouve que, même dans cette situation d'infériorité, je gardais un reste de dignité. Cette honnêteté allait me perdre. Jean Guitton frappait toujours le sol de sa canne. Hélas, ce que je prenais pour un encouragement n'était qu'une manifestation d'agacement.

Il me coupa et dit d'une voix forte :

— C'est embêtant !

— Pardon, maître ! Qu'est-ce qui est embêtant ?

— Vous m'avez parlé de mes articles.

— En effet, ils sont excellents.

— Mes articles, je m'en fiche complètement.

Je titubai sous le coup, bientôt suivi d'un autre :

— Il fallait me parler de ma peinture !

J'allais me reprendre lorsqu'il laissa tomber, d'un air désabusé :

— Malheureusement, maintenant, c'est trop tard.

La déconvenue aurait dû m'accabler. Au contraire, elle provoqua en moi un sursaut salutaire. J'effectuai un rétropédalage avec la virtuosité d'un diplomate désavoué par sa chancellerie. J'évoquai la place que la peinture occupait non seulement dans ma vie, mais dans celle de ma famille tout entière dévouée au pinceau et à l'essence de térébenthine. Il me fut plus pénible de le complimenter sur son œuvre de peintre. Les éloges me raclaient la gorge. Le philosophe chrétien me regardait avec satisfaction me dépêtrer dans cet exercice de laudateur hypocrite. Je crois qu'il y trouvait un plaisir secret. Après avoir affronté durant sa longue vie la duplicité onctueuse des prélats de la Curie, les chausse-trapes tendues par ses collègues de l'Université, les tortueux expédients du stalag pour échanger un morceau de pain contre une cigarette et, enfin, les sinuosités et les promesses fallacieuses du parcours académique, il n'était pas fâché d'assister aux tortures morales d'un homme jeune mis sur le gril.

Nullement dupe de mes laborieux efforts pour louer sa peinture, il se radoucit et se fit charitable. Le lait de la tendresse humaine sembla enfin s'écouler de sa bouche.

— Vous êtes jeune, vous êtes souriant, me dit-il. Comme ce serait merveilleux de voir chaque jeudi un visage jeune et souriant !

Un sourire de circonstance s'épanouit sur mon visage. Mais il se figea aussitôt.

— Évidemment, les gens souriants, on se demande toujours s'ils ne sont pas un peu superficiels.

Perdu pour perdu, je n'abandonnai pas le combat. Non pas comme le chevalier de l'Arioste qui continuait à se battre sans savoir qu'il était mort. Moi, je savais. Le pire de cet échange hypocrite et barbelé, c'est que la sincérité était la grande perdante de cette visite par essence contre nature : je l'admirais et j'aimais sa personnalité si peu conventionnelle.

L'entretien se poursuivit avec son cortège de piques et de compliments.

— Quand je mourrai, me dit-il, le regard embué, j'aimerais que vous écriviez un article sur moi, un grand article : au moins une page !

— Maître, l'heure n'est pas venue.

— Promettez-moi que vous l'écrirez.

Je promis. Il prit un air mélancolique.

— Je vais vous faire une confidence : j'ai hâte de mourir.

Je me récriai.

— Non, non, j'ai hâte de mourir. Et vous savez pourquoi ?

À cet instant, son œil brilla.

— Quand je me suis présenté à l'Académie, Mauriac m'a promis de voter pour moi. Daniel-Rops également. L'un des deux m'a menti. Eh bien, là-haut, je vais savoir la vérité.

J'esquissai un sourire gêné. Cette confidence me dissuadait de quémander la moindre promesse. Sur un dernier coup de canne impérieux sur le plancher, il me congédia.

Je n'étais pas au bout de mes peines. Sortant de chez lui, je me rendis près du Panthéon chez un autre académicien, éminent lui aussi, spécialiste d'une science marginale : la tératologie, l'étude des monstres. Il procédait dans son laboratoire à des expériences génétiques, très profitables à la médecine, qui consistaient à modifier les gènes d'un certain nombre d'animaux pour procéder à des expérimentations chromosomiques : c'est ainsi qu'il créait des moutons à cinq pattes, des poulets bicéphales, des souris à tête de rat. Ces expérimentations représentaient pour lui un crève-cœur car il adorait les animaux que son implacable discipline le condamnait à torturer.

Je regardai cette fois plus attentivement la fiche que m'avait confiée le secourable Pierre Moinot. Il était écrit : « Parler surtout des chats. Il les adore. Surtout pas de ses monstres, vous lui feriez de la peine. »

Je sonnai à la porte d'un appartement modeste. De la cage d'escalier montait une bonne odeur de soupe aux choux. Une dame de compagnie m'ouvrit la porte et me conduisit dans un salon d'allure provinciale.

Un petit homme d'une singulière laideur se leva obligeamment pour m'accueillir. Il n'était pas d'une laideur banale, mais d'une laideur de savant : la nature, à l'instar des innovations de Picasso, semblait avoir distribué en désordre les éléments qui composaient son visage : le nez n'était pas tout à fait à sa place, ni les oreilles, ni la bouche. Mais il s'exprimait avec une voix d'une infinie douceur dans un langage choisi. Il chuchotait comme s'il craignait de réveiller un enfant qui dormait. Sa voix mélodieuse, qui exprimait une exquise bienveillance, me mettait en confiance.

— Alors, me dit-il, vous vous présentez à l'Académie, c'est très bien. Mais il y a une question importante que j'aimerais vous poser : aimez-vous les chats ?

Je ne m'attendais pas à entrer aussi vite dans le vif du sujet.

— Beaucoup, répondis-je.

— Vous en avez un ?

— Non, pas précisément. Enfin… pas en ce moment.

— C'est dommage. On apprend beaucoup des chats. Je vais vous conter une anecdote. Quand j'ai rendu visite à Jean Rostand, mon maître, à l'époque où je me suis présenté à l'Académie, il m'a demandé : « Aimez-vous les chats ? » Je lui ai dit alors combien je les aimais. Il m'a serré les mains en me disant : « Alors je voterai pour vous. »

Un lourd et gênant silence tomba sur nous. J'étais fâcheusement en panne d'inspiration sur le sujet.

Il reprit.

— Ainsi vous aimez les chats. Eh bien, je vais vous présenter un chat.

Il fit un effort pour se lever de son fauteuil et, marchant difficilement à travers la pièce, il alla ouvrir une porte.

Un chat noir fit aussitôt irruption dans le salon comme s'il avait été projeté par un ressort.

— Je vous présente Grouillot… oui, Grouillot parce qu'il grouille.

En effet, il grouillait : il ne tenait pas en place, il s'agitait, se promenait d'un air désinvolte, s'arrêtait, fixait sur moi ses yeux jaunes, dressait sa queue, puis filait à sauts et gambades sous les meubles. À un moment où il approchait de moi, un peu assagi, je me penchai de mon siège jusqu'au sol, tendant la main vers lui. Je l'appelai :

— Minou, minou !

Le savant me rappela à l'ordre :

— Il s'appelle Grouillot !

Je comprenais que de ce satané chat dépendait le succès de ma visite. Pourquoi me fuyait-il ? Pourquoi dédaignait-il mes avances ? Avait-il décelé en moi l'imposteur ? Toute honte bue, je me mis à quatre pattes pour tenter d'attraper l'animal. Il se réfugia sous un fauteuil. Alors que j'allais me saisir de lui, il fit un bond et se glissa sous l'armoire. Lorsque je passai la main pour l'en déloger, il me griffa jusqu'au sang. Je battis en retraite.

— C'est un chat qui a ses têtes, lança, philosophe, le savant. Pourtant, hier, quand j'ai reçu votre concurrent pour sa visite, il a ronronné dans ses bras. Un garçon charmant ! Vous le connaissez ? On me dit qu'il a beaucoup de talent !

— Oui, en effet, dis-je d'un air pincé.

Le silence s'installa à nouveau entre nous. Le savant, en dépit de sa grande bienveillance, semblait contrarié. Puis, comme s'il émergeait d'une profonde méditation, il se hissa hors de son fauteuil pour me donner congé. Cherchant une parole encourageante que, décidément, il ne trouvait pas, désolé de cette expérimentation ratée, il se contenta de me dire :

— Finalement, l'important, c'est que vous aimiez les chats !

La dernière chance

J'arrivai à Auteuil, villa de La Réunion. L'hôtel particulier, entouré d'un vaste jardin, ne donnait aucun signe de fête. Tout était silencieux dans la villa où flottait un parfum de chèvrefeuille. Avec la poisse qui me poursuivait, je craignais de m'être trompé d'adresse. Quand je sonnai à la porte de la maison, un carillon cristallin retentit et une soubrette vint m'ouvrir. Les flots de musique me rassurèrent. Un réveillon avait bien lieu. Il ne s'agissait pas d'une musique tonitruante comme à mon précédent réveillon, mais d'une mélopée mélancolique. La voix éraillée de Ray Charles, la tristesse qu'il exprimait serraient le cœur : tout cela sentait la fin de soirée. La demi-obscurité, les lumières tamisées, les quelques couples qui dansaient langoureusement et ceux qui, dans de profonds canapés, s'étreignaient accroissaient l'impression déprimante que le meilleur de la fête était passé. Pour dire les choses crûment : amoureusement parlant, les jeux étaient faits. C'était la confirmation de ce que j'avais craint. La pièce était enfumée. Je me dirigeai vers le buffet, où flottait une odeur de sangria. La jeune maîtresse de maison vint me rejoindre.

— Vous venez bien tard. Comme c'est dommage !

Que pouvais-je lui répondre ? J'éprouvais la désagréable sensation d'être un intrus qui n'avait plus sa place dans cette soirée. Je voyais à l'attitude gênée de la jeune fille qu'elle ne savait que faire de moi. Elle faisait pourtant des efforts pour me mettre à l'aise. En dépit de sa bonne volonté, je me sentais de trop.

Soudain, le salon fut inondé d'une lumière crue. Le père de la jeune fille apparut. Il venait se livrer à une inspection, s'assurer qu'aucun débordement n'entachait la réputation de la maison. L'arrivée de ce jovial en smoking jeta un froid. Il avait beau adresser des paroles aimables aux invités qui s'étaient redressés et prenaient des poses convenables, il apparaissait pour ce qu'il était : un casseur d'ambiance, un fâcheux de la pire espèce. Sa fille, sous les dehors d'une soumission modeste, lui jetait des regards exaspérés. Peu à peu les invités sortant de leur torpeur et des vapeurs de l'alcool se levaient pour le saluer, tels les morts du Jugement dernier.

Puis le paternel rassuré s'en alla, laissant – on n'est jamais trop prudent – la lumière allumée. Sa fille s'empressa d'aller l'éteindre. Peine perdue, la fête avait pris un coup dans l'aile. Les jeunes gens, qui, il y a un instant, entretenaient l'illusion d'avoir échappé au monde des adultes, se sentaient brutalement ramenés à leur statut d'enfant. Ils étaient renfrognés, dégrisés. On les avait réveillés de leur rêve. Cet incident, bizarrement, me sauva. Les couples s'étaient séparés ; chacun déambulait près du buffet. C'était une nouvelle donne. La soirée repartait sur d'autres bases.

Une jeune fille blonde s'approcha de moi.

— Vous ne dansez pas, dit-elle. J'ai l'impression que vous êtes triste.

Il aurait été trop long et trop fastidieux de raconter mes déboires. Je l'invitai à danser. Elle me paraissait jolie, fine, élancée. Son naturel et son exubérance me charmaient. Elle avait une curieuse façon de placer sa main devant sa bouche quand elle me parlait. Même en dansant, elle me dissimulait une partie de son visage. Elle se montrait tendre et, manifestement, peu farouche. Danser avec elle était agréable. Nos corps s'emboîtaient bien. Elle m'enveloppait de son parfum Miss Dior. À la manière dont elle se pressait contre moi, je sentais que je ne lui déplaisais pas. Après toutes les rebuffades que j'avais subies, ce n'était pas le moment de bouder mon plaisir. Nos lèvres se joignirent et ce long baiser me parut délicieux.

Je l'entraînai vers le buffet. Je surpris alors la raison qui l'amenait à tenter de se dissimuler derrière sa main : une sorte de blessure striait l'extrémité de sa lèvre supérieure ; une cicatrice qui semblait avoir été provoquée par une morsure. Je ne laissais rien paraître de mon trouble. Nous rejoignîmes des invités sur un canapé. Elle était très à l'aise, diserte, toujours exubérante. J'étais partagé entre la réticence physique et la pitié. D'où lui venait cette blessure ? Quelle humiliation ce devait être pour elle de devoir la dissimuler... Sa honte m'était étrangement fraternelle.

Je dansai encore avec elle. Elle me dit son nom : Solange.

Il se faisait tard. Quelqu'un proposa d'aller finir la nuit aux Halles. On sortit de la maison. Il faisait un froid humide. La neige commençait à tomber. On s'engouffra dans les voitures disponibles et les invités se retrouvèrent devant une soupe à l'oignon.

Dans la lumière violente du néon, ma compagne montrait des signes d'inquiétude. Il lui était désormais difficile de se dissimuler à mes yeux. Elle devait craindre mon regard. Ne voulant pas qu'elle suspecte de ma part un éloignement, je lui pris la main. Elle serra la mienne avec force.

Le jour se levait. La chaussée était sous la neige quand nous nous séparâmes devant le restaurant. Je l'embrassai une dernière fois. Dans cette étreinte que j'imaginais être la dernière, j'avais l'impression de lui prodiguer un peu de la tendresse qui m'avait tant manqué au cours de cette soirée. Pourquoi m'identifiais-je à ce point à elle, à la souffrance que je supposais être la sienne ? Ce lien douloureux m'attachait à elle. Pas assez cependant pour désirer la revoir. La pitié n'est pas un sentiment érotique.

Quand je me retrouvai dans ma chambre de bonne, un jour grisâtre recouvrait les toits couverts de neige. Le Sacré-Cœur, luisant et blanc comme un gâteau de mariés, apparaissait au loin sous les flocons qui tombaient. J'ouvris la fenêtre pour respirer l'air glacé. Quelle drôle de soirée ! Je n'avais pas envie de dormir. J'aimais cette chambre mansardée avec son lit étroit, sa bibliothèque remplie de livres et de rêves. La vie s'ouvrait devant moi. À bord de cette chambre, j'avais l'impression d'entreprendre un voyage spatial vers mon avenir.

La morsure du froid était trop forte. Je refermai la fenêtre. Je repensais à Solange avec reconnaissance.

Elle m'avait redonné de l'espoir. Peut-être lui en avais-je donné aussi un peu ? Je ressassais les épisodes de ces réveillons. Ils me semblaient étranges. Était-ce cela, l'existence, cette suite de rêves, de promesses non tenues, de femmes lunatiques ? Rien ne se passait donc comme on l'attendait.

À Moscou ! À Moscou !

C'était aussi en décembre. Et il neigeait. J'étais à Moscou et j'avais toujours autant d'illusions. Comment n'en aurais-je pas eu ? Quand on aime le théâtre et que s'ouvre cette porte de la Russie qui est La Mecque de l'art dramatique, on perd vite le sens du raisonnable. En débarquant à l'aéroport de Cheremetievo, j'avais la folie en tête. Des flocons qui tombaient sur mon visage ne refroidissaient pas ma fièvre. Rien de tel qu'une aventure théâtrale pour fouetter l'imagination. Et Moscou est la ville la plus propice à exciter cette griserie. Une débauche d'images, toutes mirifiques, se présentait à moi. J'imaginais le théâtre Mariinsky et ses associés prestigieux, le Maly, le Pouchkine, encore imprégnés de la légende de Tchekhov et de l'inséparable Stanislavski, conservant pieusement dans leurs murs tendus de velours cramoisi, leurs vieux fauteuils et les ors fanés, le trésor de tant de souvenirs. La magie du génie, l'enthousiasme, les applaudissements, mais aussi les sifflets résonnaient encore. Un miracle s'était produit dans ces lieux dont les sortilèges ne s'étaient pas dissipés. Ils donnaient une présence envoûtante aux fantômes qui continuaient d'exprimer les espoirs et la plainte éternelle de l'âme humaine.

Je dialoguais délicieusement avec ce tricotage de succès et d'échecs qui habitaient ces personnages déchirés par le mal de vivre. Je me répétais les paroles de Nina, l'héroïne de *La Mouette* dont l'exaltation m'était si proche : « Pour un aussi grand bonheur que d'être écrivain, je supporterais l'inimitié des miens, au besoin la désillusion ; j'habiterais sous les toits ; je ne mangerais que du pain noir ; je souffrirais du mécontentement de moi-même, de la conscience de mes défauts. Mais, en retour, j'exigerais la gloire. Une gloire vraie, tonitruante. » Et tous les personnages de Tchekhov, semblant répondre à mon impatience, s'exclamaient en chœur : « À Moscou ! À Moscou ! »

J'imaginais des spectateurs en harmonie avec la magie des lieux : vieux Russes pétris de culture française, égéries parcheminées d'Essenine, de Maïakovski, de Pasternak, étudiants passionnés, ravissantes jeunes filles prêtes à s'identifier à mon héroïne inspirée de Nina Berberova, tous pleins d'enthousiasme slave, venus applaudir un auteur français qui avait eu la délicatesse de consacrer sa pièce à un maître des lettres russes, Gorki.

La représentation future devant une salle au public choisi, c'était un rêve qui s'ajoutait à un rêve. Il y a de l'impudeur à être joué au théâtre. Les mots que j'avais confiés au papier n'avaient plus le même caractère quand ils étaient proclamés sur la scène. Pendant les répétitions, je frémissais à chaque réplique des acteurs. J'avais l'impression qu'ils m'arrachaient une confidence intime, qu'ils dévoilaient mon âme, me mettaient à nu. Cet exercice dans un pays étranger, par-delà les frontières, se métamorphosait. Il cessait d'être un aveu impudique puisqu'il s'insérait dans une entreprise irréelle.

Le succès serait-il au rendez-vous ? Bien sûr qu'il le serait. Il l'est toujours dans les rêves. Je me préparais. Car il est souvent aussi dur à affronter que l'échec. Le rideau cramoisi retombé, quelle forme prendrait-il ? Quelle serait l'ampleur des applaudissements, des ovations ? Quelle part reviendrait au metteur en scène, aux acteurs, à l'auteur, devenus à la fois concurrents et complices ?

Et puis, lorsque la houle du public s'éloignerait après le tonnerre des applaudissements et la chaleur des congratulations, je quitterais le théâtre. Dans le froid coupant et délicieux, glissant sur les pavés couverts de neige, je rejoindrais le café Pouchkine, aussi désuet que le théâtre Mariinsky. Là est un moment grisant : lorsque la troupe entoure l'auteur, communiant dans un succès qu'ils ont arraché ensemble au doute et à l'angoisse tandis que leur reviennent en mémoire tous les contretemps qui, toujours, risquent de faire chavirer une pièce. Quelle excitation devant le bortsch bouillant, les énormes cornichons, le saumon fumé, le caviar et les perfides verres de vodka qui pique la gorge comme du poivre !

Peut-être même y aurait-il une grande jeune fille blonde aux yeux de mer Baltique, passionnée de théâtre et de culture française ? Il faudrait bien la raccompagner dans la neige, devant le Kremlin illuminé. Là, tout se mêlerait, le rêve, la réalité, Gorki, le théâtre Mariinsky, l'amour, une chambre inconnue et cette étrangère condamnée à devenir un souvenir. Un instant qui deviendrait vite lui aussi un rêve, comme le succès qui laisse après lui une ivresse au goût de cendres.

Parfois, je tentais bien vainement de refroidir mon imagination. Après tout, ne m'était-il pas arrivé une aventure beaucoup plus extraordinaire que ce voyage à Moscou ? N'avais-je pas réalisé une ambition plus folle encore en devenant écrivain, en étant publié ? Ce but que j'avais formé à dix-sept ans, sans vraiment croire qu'il pût trouver sa consécration, était devenu une réalité. Si tant est qu'il y ait une réalité dans ce domaine.

Je n'étais pas le seul à me monter la tête. Le metteur en scène Jacques Rossner, Roger Planchon qui jouait le rôle de Gorki, Marie-Christine Barrault, qui tous ne vivaient que par et pour le théâtre, s'illusionnaient autant que moi. Ce projet résonnait en eux comme le but ultime d'une carrière : comme Jérusalem pour un juif, New York pour un banquier, Hollywood pour une star de cinéma. D'avance ils avaient une indigestion de blinis, d'ovations, d'ivresse tchékhovienne. Pendant les répétitions, tout était prétexte à gamberger. Les contrariétés, les obstacles s'évanouissaient face aux promesses de l'avenir : « Quand nous serons à Moscou… », « à Moscou, ce sera différent ». Et, quand ils n'en parlaient pas, je le lisais dans leurs yeux : leur désir de Moscou était attisé jusqu'à l'incandescence.

Le maître d'œuvre qui portait ce rêve était Pierre Cardin. Lui seul gardait les pieds sur terre. Qu'avait-il fait toute sa longue vie, sinon transformer en or les fruits de son imagination ? Ce magicien, entouré de toutes sortes d'opiomanes à l'instar de Jean Cocteau, n'avait pas son pareil pour mettre en scène leurs projets les plus aventureux. À commencer par les siens. Le jeune Vénitien pauvre, dont la mère était couturière, n'ayant pour toute fortune qu'une prédiction, avait construit son empire bien réel sur des chimères. Et il l'avait édifié dans les matières les plus fragiles qui soient : les tissus, les parfums, la mode. Conscient de l'ampleur de ses conquêtes, il gardait l'esprit adolescent du jeune homme ébloui par Paris, plein d'espièglerie et d'humour. Produire une pièce l'amusait. Capable d'élaborer des stratégies mondiales pour son entreprise, il redescendait des hautes sphères, non plus pour coudre un ourlet comme à ses débuts, mais pour rectifier le jeu d'un acteur, préciser un éclairage, déplacer un portant. Rien n'était plus savoureux que sa présence qui mettait du champagne dans les angoisses.

La Russie était, avec la Chine, un territoire où il régnait. De pionnier du luxe, il en était devenu le symbole et on le vénérait à l'égal d'une star. Aussi fit-il le choix hasardeux de confier notre entreprise théâtrale, d'un très mince intérêt économique, à une redoutable femme d'affaires qui dirigeait son département de cosmétique en Russie. Une indomptable amazone, vêtue de cuir noir. Détail qui, tel le choix par Napoléon de Soult au lieu de Berthier comme chef d'état-major, décida de l'issue de Waterloo.

L'heure de vérité sonna. Enfin ! La surexcitation était à son comble. Les nerfs prêts à lâcher. Il était temps d'arriver à l'aéroport Cheremetievo. La neige tombait bien sur Moscou, mais les maigres flocons qui se dissolvaient sur la chaussée boueuse entre les immeubles staliniens vétustes et sales n'offraient pas un spectacle de féerie. L'hôtel lui-même n'avait rien de réjouissant : il était aménagé dans une tour grisâtre, chassieuse, qui vieillissait mal, avec des chambres à l'avenant, lugubres dans leur austérité et qui sentaient le désinfectant. On y pénétrait par un vaste vestibule où aboutissaient les galeries marchandes de troisième catégorie et des cafétérias fréquentées par une faune bigarrée de Chinois, de Japonais, d'Asiates, de Tchétchènes à la mine peu avenante, qui semblaient affairés dans d'obscurs trafics. Des jeunes filles stagnaient dans les couloirs, probablement des étudiantes impécunieuses dont la jupe trop courte, le décolleté aguicheur, l'air indifférent et las ne laissaient aucun doute sur leur triste activité.

Le repas qui nous attendait n'était pas de nature à égayer cette impression désastreuse. Il se tenait dans une vaste salle bondée ressemblant à s'y méprendre à un restaurant d'entreprise : il fallait faire la queue devant la caisse, se servir au buffet et apporter son plateau en ferblanc sur des tables de Formica. Cardin, seigneurial, portait son plateau avec autant d'aisance et d'élégance que s'il avait été sur le podium d'une présentation de collection de haute couture : d'humeur badine, il semblait ne rien voir de la consternation qui se lisait à livre ouvert sur le visage des acteurs. Ceux-ci se regardaient, incrédules, comme si on avait égaré le texte de la pièce qu'ils avaient préparée. Cardin, c'était sa grande force, n'était pas comme nous accessible aux états d'âme.

Tout cela n'était après tout que très secondaire. Les plus grands acteurs avaient connu des conditions bien pires. Et même le dénuement. Personne ne pouvait s'empêcher d'y voir un mauvais présage. L'espoir pourtant restait vivace : chacun tenait à son rêve d'un vieux théâtre et s'accrochait aux fantasmes de ses velours cramoisis, des vieux fauteuils dorés, des loges vieillottes aux miroirs fanés où s'étaient reflétés tant de visages légendaires.

Là encore il fallut déchanter. La salle où se joua la pièce n'avait rien, de près ou de loin, de ce qu'on appelle ordinairement un théâtre. Elle possédait les mornes proportions d'un immense auditorium, comme il en existe partout dans le monde, où l'on réunit les participants à des colloques. Une scène trop vaste, ouverte à tous les vents, et des gradins qui auraient pu contenir le Politburo au grand complet. Bref, le lieu le plus dénué de charme et le moins fait pour accueillir cette opération magique qu'est le théâtre.

Quant aux spectateurs, ils ne se composaient ni de vieux Russes blancs pétris de lettres françaises, encore moins d'égéries d'Essenine et de Pasternak, ni de ravissantes étudiantes assoiffées de culture occidentale, mais d'employés des entreprises et des boutiques de cosmétiques réquisitionnés pour remplir les gradins. On était en plein déphasage culturel. Des applaudissements polis semblaient répondre à d'implacables consignes. Manquait le cœur. Manifestement, il n'y était pas.

Cardin, tel Napoléon pendant la retraite de Russie, demeurait impassible. Lui si raffiné, si amoureux de théâtre, se rendait à l'évidence parfaitement compte de l'inadéquation du public, de la salle et de la pièce. Mais il n'était pas homme à s'émouvoir d'un échec. Déjà, son esprit positif volait vers d'autres conquêtes tandis que nous demeurions groggy, terrassés par la chute vertigineuse de notre rêve.

L'amour dans une chambre de bonne

De l'observatoire de ma chambre de bonne d'où je contemplais les toits de Paris sous la neige, je ne cessais de me livrer à l'examen des perspectives beaucoup plus lointaines que le Sacré-Cœur que j'apercevais au loin : je dévorais l'espace mystérieux qui me séparait de l'avenir. Comme j'aurais aimé qu'un astrologue m'indiquât quelle tournure il prendrait ! Quel but allais-je atteindre ? N'allais-je pas me perdre dans la confusion de mes velléités ? J'avais autour de moi beaucoup d'exemples de naufragés sociaux et je craignais de leur ressembler. Une fatalité semblait poursuivre ma famille. Les rêves y avaient la fâcheuse tendance à finir en désastre. Cet abîme me faisait envier les dynasties bourgeoises où l'on devient sans état d'âme banquier, notaire, médecin, magistrat, professions positives que le rêve n'égare pas, même si ceux qui les embrassent s'acheminent ponctuellement vers des carrières un peu ennuyeuses mais qui ont le mérite d'être sans risque et sans folie.

Parfois même j'avais la tentation de tout abandonner. Tout, même la vie. Pourquoi continuer d'affronter un monde contre lequel je me cognais, qui m'était hostile et semblait s'acharner à contrarier mes aspirations ? Ce qui m'en dissuadait, c'était la curiosité pour la vie, tout ce qu'elle contenait de ressources, de plaisirs, de visages, de paysages, de pays inconnus.

On frappa à la porte. Solange était devant moi, enveloppée de son parfum Miss Dior. Les cheveux devant les yeux, l'air intimidé, la main protégeant sa lèvre, elle semblait gênée d'avoir fait les premiers pas.

J'étais tout aussi embarrassé qu'elle. Nous étions restés sur une ambiguïté la nuit du réveillon. Elle m'émouvait, mais ne m'attirait pas. Et la pitié brouillait tout. Pourtant, nous ne pouvions demeurer dans une situation indécise : le lieu ne s'y prêtait pas. La suite apparaissait donc dans son évidence : que peut-il arriver d'autre quand une jeune fille de dix-sept ans rend visite à un garçon de son âge dans sa chambre de bonne, qu'ils écoutent, enlacés sur un lit étroit, l'*Adagio* d'Albinoni et les *Gymnopédies* d'Erik Satie ? La conclusion vient vite. C'est ce qui se passa en effet. Et il ne pouvait rien se passer d'autre. Son corps m'émerveilla, mince et svelte, les attaches fines, la poitrine généreuse. Il effaçait par sa beauté la réticence que m'inspirait la blessure de sa lèvre. Et puis il y eut de la magie dans cette étreinte, une magie qui ne s'explique pas. Pourquoi les corps se reconnaissent-ils avec une telle science, comme s'ils se trouvaient après s'être longtemps cherchés ?

Ce samedi après-midi passa vite. Rien de tel que les caresses pour enchanter les heures. Je ne me lassais pas d'elle. Nous étions dans l'île chaude de cette chambre qui nous protégeait du froid. Du dehors parvenait l'écho affaibli des voitures sur le boulevard Montparnasse où les passants marchaient avec précaution sur une neige devenue sale et boueuse.

Quand vint l'heure de nous séparer, si satisfait que je fusse de cet après-midi, je n'étais pas convaincu qu'elle devait avoir un lendemain. Solange me quitta sans que je lui propose un autre rendez-vous, laissant derrière elle son parfum sucré et entêtant. Je demeurais incertain devant la chambre en désordre et le lit défait. J'ouvris la fenêtre. La nuit tombait. La brise glacée me saisit. Avec cette ingratitude propre au cœur, toujours insatiable, j'éprouvai un soulagement d'être seul ; et je me dis à moi-même : quand rencontrerai-je enfin le grand amour ?

Amorgos sous la neige

C'était une bergerie de pierre sèche, pelotonnée à flanc de montagne, donnant sur la mer Égée. Érigée au milieu d'un espace caillouteux, à une centaine de mètres d'une plage de galets, face à un promontoire rocheux, cette thébaïde austère avait le charme des lieux déshérités voués à la prière et à la mortification. Pas d'arbres, aucun luxe superflu, pas même une fleur ni un canapé ne l'égayaient. De Chora, la capitale de l'île d'Amorgos, il fallait une heure par un chemin à peine carrossable pour atteindre cette bâtisse spartiate dépourvue de frivolité. Autour d'elle s'étendait un paysage lunaire, hérissé de rochers entre lesquels survivait un maigre lichen que broutaient quelques malheureuses chèvres noires. Le soleil tapait dur l'été sur cet espace minéral qui se transformait en véritable four. Seul l'intérieur de la bergerie conservait un peu de fraîcheur. La chambre, aussi obscure qu'une grotte, n'avait pour ouverture qu'une sorte de meurtrière qui protégeait de la lumière aveuglante.

Les commodités se réduisaient à l'essentiel, c'est-à-dire rien. Pas d'électricité. Quelques bougies et une lampe à pétrole donnaient le soir une faible lumière vacillante ; pas d'eau courante ni, bien sûr, de douche : la seule eau disponible était déposée chaque matin par un berger des environs dans de gros bidons d'essence récupérés dans les stocks de l'armée américaine. Le soleil régnait en maître, écrasant le paysage d'une chaleur accablante, diffusant une lumière qui se réverbérait sur les rochers et sur la mer. Aucune ombre, sauf, au-dessus de la porte d'entrée, une vigne qui s'enroulait autour des solives en châtaignier et formait une tonnelle. Le soir, on y respirait des effluves parfumés. Quand, par bonheur, un peu de brise avait la bonne idée de souffler son haleine tiède, froissant les feuilles de la vigne, cette seule mélodie donnait une bienfaisante illusion de fraîcheur.

C'est là, sur une chaise en paille, devant une méchante table brinquebalante, que j'écrivais. Je n'avais jeté mon dévolu sur cette bergerie que dans ce but. Un tel degré de désolation passait mon espérance. Je n'en demandais pas tant. Malgré la chaleur torride, le martèlement d'un marteau-piqueur qui résonnait dans la montagne où l'on creusait une route, ma plume courait sur le papier. C'est un moment merveilleux d'écrire quand, délivré de tout blocage intérieur, on y arrive enfin. On a l'impression d'aligner les mots et les phrases sous la mystérieuse dictée d'une présence invisible. Rien alors n'aurait pu me distraire et rompre le cercle enchanté qui semblait tracé autour de moi. J'écrivais, et ce qui avait été une longue impatience, être publié, était devenu une réalité. Désormais, comme la Nina de *La Mouette*, j'étais prêt à affronter tous les déboires et tous les échecs.

Par un curieux paradoxe, les personnages dont je contais l'histoire se trouvaient dans la neige où ils souffraient du froid. Je les imaginais précisément en Pologne après la bataille d'Eylau, regagnant Varsovie en traîneau sous des couvertures de fourrure, à travers des étangs gelés. Ils retrouvaient des palais glacés et tentaient de se réchauffer devant de grands feux de bois.

J'étais bien dans ce roman en train de naître. Aussi isolé que si je m'étais réfugié dans une petite île particulière, au cœur de l'île magnifique et sauvage qu'est Amorgos. Bon an mal an, j'étais devenu écrivain. L'angoisse de ne pas trouver d'éditeur ne pesait plus sur moi. Que d'autres angoisses demeuraient ! Parfois, il me semblait qu'elles formaient un bloc que je devais sculpter pour en extraire le livre en cours. Le pire doute, c'était de m'engager dans une impasse. Quel est l'écrivain qui, dans l'enthousiasme de son sujet, ne court pas le risque d'être pris dans le piège de son rêve ? Mais, cette fois, cela ne semblait pas être le cas. Les paysages défilaient, les personnages vivaient de la vie étrange que je leur transfusais.

Dans cette solitude, je n'étais pas seul. Une jeune femme avait accepté de partager mon exil. Il faut une certaine dose d'égoïsme pour imposer à un être cher un séjour aussi dépourvu de distractions. Cette jeune femme aux yeux verts, que j'appellerai Carla, n'avait pas la ressource dont je disposais de m'absenter de moi-même pour suivre mes personnages dans leur course en traîneau dans la Pologne enneigée. Elle devait se contenter de ce que lui offrait ce lieu austère. C'est-à-dire peu de choses : l'inconfortable plage de galets où elle se tordait les pieds, le sentier aride qui menait au promontoire et la fréquentation des chèvres noires qui paraissaient de méchante humeur. Heureusement, elle avait apporté quelques livres. Elle s'absorbait dans leur lecture tout en

46

cuisant sur la plage. Puis, résignée, elle attendait le soir, l'heure où, sortant de ma claustration intérieure, je reprendrais figure humaine. J'étais dans le même état que si je sortais d'une séance d'hypnotisme. J'avais voyagé si loin d'Amorgos dans le temps et dans l'espace, partageant le tumulte de cœurs passionnés. Il me fallait un certain temps pour me réacclimater à ce nouveau paysage, inconscient du temps qui avait passé.

Ce soir-là, sous la tonnelle bruissante, éclairés par la lampe à pétrole, nous dînions face à la mer. Un repas à l'image du reste : frugal. Le berger qui nous ravitaillait nous avait interrogés le jour de notre arrivée sur le menu que nous souhaitions :

— *Katsika ? Upsaria ?*

Ce qu'il fallait traduire par :

— Chèvre ? Poisson ?

Va pour *katsika* ! Une heure plus tard, les hurlements d'une chèvre qu'on égorgeait emplissaient l'espace, couvrant même le martèlement du marteau-piqueur. Bientôt, je vis arriver le berger conduisant sa vieille camionnette déglinguée. Il jeta sur la table, sans respect pour mon manuscrit, des membres sanguinolents hâtivement enveloppés dans du papier journal.

Il me fallut vaincre ma répugnance pour saisir ces membres sanglants et les jeter sur le gril. C'était comme si la chèvre continuait à crier. Et aussi du courage pour les mettre dans mon assiette et les manger. Que cette viande fût délicieuse et parfumée de thym accroissait mon sentiment de culpabilité. Ma compagne préféra s'abstenir, me laissant m'empiffrer avec un regard lourd de reproches, comme si j'étais moi-même l'assassin de la chèvre.

Le lendemain, lorsqu'il revint pour prendre une nouvelle commande, s'attendant à être complimenté, le berger reçut un accueil glacé. Je lui dis avec insistance :

— *Upsaria ! Upsaria !* Du poisson ! Du poisson !

Je le regardai partir. Il se dirigea vers son bateau à l'ancre, une sorte de pointu au moteur poussif. C'était un beau spectacle de voir le bateau qui traversait lentement la baie sur une mer d'un bleu profond que le soleil faisait scintiller. Le promontoire passé, le bateau disparut de ma vue. Une sourde explosion se fit entendre, suivie d'une autre. Bientôt, la mer se couvrit d'une myriade de poissons morts, exhibant leur ventre blanc, qui venaient s'échouer peu à peu sur la plage de galets. Quand il revint, la mine réjouie, tenant à la main un seau rempli à ras bord de rougets, il dut s'étonner de nous voir montrer si peu d'enthousiasme devant sa pêche miraculeuse. Dans sa simplicité, il ne pouvait imaginer que nos âmes sensibles répugnaient autant à l'usage de la dynamite qu'à celui du couteau d'égorgeur.

Qu'importaient, au fond, ces inconvénients ! Comme ils s'estompaient devant le coucher du soleil qui rougeoyait à l'horizon, adoucissant le pelage fauve des montagnes tandis que le berger à bord de sa barque toussotante, fier d'avoir écumé la mer, s'en revenait vivre au milieu de ses chèvres noires !

Pendant que les poissons grillaient sur les braises, en harmonie avec les feux du couchant, que la brise tiède m'enveloppait dans ses voiles, la beauté de la Grèce s'imposait. Je bavardais avec la jeune fille aux yeux verts. Je lui parlais mais, pour être sincère, je n'étais pas tout à fait avec elle. N'étais-je pas plutôt encore avec mes personnages qui, là-bas, affrontaient les tempêtes de neige, les loups qui les poursuivaient dans la forêt ?

Un matin, après avoir passé des heures à suivre mes personnages qui connaissaient dans un palais de Varsovie un grave dilemme amoureux, je me levai de ma table pour griller un cigarillo. J'appelai Carla : aucune voix ne répondit dans la bergerie. Je jetai un œil vers la plage : personne. Personne non plus sur le chemin du promontoire ni dans les environs. Inquiet, je pénétrai dans la maison. Bien en évidence m'attendait une feuille de papier avec ces simples mots : « Je suis partie. » Ce fut soudain comme si tout s'écroulait sur moi : la bergerie, la barque du pêcheur, les membres sanguinolents de la chèvre. Même mes malheureux personnages, pourtant si peu concernés, n'échappaient pas au désastre. Alors se mit en marche la machine infernale de la culpabilité : la cruauté de ma conduite m'apparaissait. Je me remémorais les avanies que mon égoïsme lui avait fait subir. Pourquoi l'avais-je à ce point négligée ? Je me reprochais mes silences, mon indifférence, le peu d'intérêt que j'avais manifesté pour ses projets d'excursion. Je relisais la feuille de papier, tentant d'y déchiffrer un mot qui pût me rassurer. Allait-elle revenir ? D'avance, je me promettais de m'amender.

Sur la table, mon manuscrit m'accusait. C'était lui, le coupable. Je passai la journée dans l'agitation et l'inquiétude. Parfois je m'élançais sur le chemin pierreux pour tenter de l'apercevoir. Je revenais, la cherchant dans une autre direction.

Quand elle revint enfin, le soir tombant augmentait l'atmosphère de désolation. Son visage était rouge, brûlé par le soleil. Un masque de mécontentement figeait ses traits. Ses yeux verts jetaient des flammes.

Subitement, elle se mit à exister. La peur de l'avoir perdue me la rendait précieuse. Cette nuit-là, je redécouvris son corps que j'avais négligé.

Pendant trois jours, ce fut au tour de mes personnages de m'abandonner : ils se vengeaient de mon infidélité à leur égard. J'avais beau les implorer, ils se montraient sourds à mes appels. La jeune fille aux yeux verts qui m'avait désormais tout à elle semblait satisfaite. Sa bonne humeur était revenue. Elle était heureuse de me voir négliger ma table de travail. Elle m'avait entièrement à elle. Entre elle et mon rêve, il n'y avait pas de place pour deux.

Exotique bourgeoisie

Puisque, décidément, rien ne se passe jamais comme prévu, je revis Solange. Un coup de téléphone de sa part eut raison de mon indécision. Commença alors entre nous une camaraderie amoureuse où mon cœur ne s'impliquait pas. J'aimais être avec elle. Mais je ne m'inquiétais nullement des moments où je ne la voyais pas. Je ne pensais pas que cette liaison, si légère, pût être durable, ce qui est le meilleur moyen pour en savourer les plaisirs. Je n'exigeais rien d'elle ; elle n'exigeait rien de moi. Certes, l'amour n'était pas là pour m'apporter ses exaltations, mais il m'épargnait aussi ses poisons.

L'appartement de ses parents où elle m'invita un soir en leur absence présentait toutes les ennuyeuses caractéristiques d'une demeure de grands bourgeois. Situé près de la place Victor-Hugo dans un immeuble haussmannien d'une sombre banalité, il n'avait pour lui que d'être vaste. Les meubles, les tentures, les tapis étaient l'exacte reproduction de la décoration que l'on retrouve chez les bourgeois nantis du XVIe arrondissement. On y devinait la présence de la même femme de chambre, à l'impeccable tablier blanc, qui, armée d'un plumeau, chassait impitoyablement la poussière et servait le thé chaque jour à la même heure dans des tasses en porcelaine de Chine. Rien n'y trahissait l'originalité. Pas un gramme de fantaisie ne s'insinuait au milieu des meubles raides, des trumeaux, des consoles dorées, des objets en argent artistiquement déposés sur la table basse du salon. On y sentait cette marque commune à la bourgeoisie de ne pas sortir d'un modèle décoratif convenu. La passion maniaque du bon ton régnait.

Pour un autre que moi, cet appartement serait apparu pour ce qu'il était : banal et sans grand attrait. Pourtant, il m'impressionnait. J'y décelais une perfection dans la maîtrise de l'art social. Je le regardais comme l'expression de la stabilité d'une classe solidement installée sur ses bases, peu accessible au doute, arrogante à force de se persuader qu'elle était supérieure. Cet appartement s'accroissait d'un autre prestige : Solange, pour exercer son ascendant sur moi, me vantait les amis prestigieux de ses parents qui le fréquentaient, conviés dans l'austère salle à manger meublée en style « retour d'Égypte ». Le duc de Castries était le principal ornement de ces dîners, mais aussi quelques comtes, marquis, duchesses qui apportaient leur délicat parfum aristocratique dans une salle à manger que je regardais avec le respect que l'on a pour un temple où se déroulent des cérémonies réservées aux initiés.

Solange voulait-elle ainsi, grâce à son prestige social, compenser à mes yeux l'infériorité qu'elle ressentait de sa blessure, cette blessure qui la rendait fragile et douloureuse ? Toute sa personne, sous le dehors de l'exubérance et de la gaieté, semblait frémir d'un appel au secours à la tendresse, à l'amour qui, seul, avait le pouvoir de la rassurer.

Peu à peu, sous son influence, je me faisais un monde de ce monde. Par un curieux défaut de perspective, j'en exagérais les différences avec le milieu auquel j'appartenais. C'était en effet l'exact opposé des montagnes russes où évoluait ma famille, où tout était instable, mouvant, aléatoire. La passion exclusive de l'art, en introduisant un soupçon sur la société, avait dissous le goût des pratiques sociales. Ce n'était ni la bohème ni le cadre bourgeois, mais un inclassable imbroglio qui, parfois, me faisait penser à un naufrage où je nageais au milieu de débris hétéroclites en quête d'une bouée salvatrice.

Si j'attribuais autant de magie au monde de Solange – magie que j'étais bien le seul à lui concéder –, c'était aussi parce qu'il évoquait pour moi la grande bourgeoisie telle que l'avaient décrite Balzac et Stendhal. Par conséquent, je m'imaginais en Julien Sorel, en Rubempré, piaffant d'accéder au monde bienheureux des riches. Je m'inventais des barrières imaginaires, surestimant sa supériorité pour mieux me dévaloriser. C'était idiot. Mais que serait l'adolescence sans cette grande machinerie à élucubrer la vie ?

Un après-midi, dans la chambre de la sœur de Solange, qui était très belle, je fis une découverte qui me laissa abasourdi. Comme je regardais distraitement sa bibliothèque, sans grand espoir d'y dénicher les ouvrages que j'aimais, je tombai sur un livre au titre étrange : *L'amour est un plaisir*. C'était un roman. Le nom de son auteur me frappa. Il appartenait à la cohorte des Hussards qui, autour de Roger Nimier, écrivaient dans le journal *Arts*. Une belle dédicace emplissait la page de garde. Je demeurai songeur. Qu'y avait-il de plus extraordinaire qu'un livre publié ? Un roman d'un auteur vivant ! Et de sentir la palpitation de son écriture toute fraîche ! J'ouvrais le livre, je le parcourais, je le refermais avec la sensation d'être initié à un rituel magique. Bien sûr j'avais déjà vu des dédicaces mais leurs auteurs étaient morts. Tandis que là j'avais affaire à un écrivain vivant, en chair et en os, qui bénéficiait de la chance inouïe de voir son nom imprimé sur une couverture. Mais ce qui me fascinait le plus, c'était qu'il puisse y avoir une confluence possible entre la famille de Solange et mes aspirations littéraires ; entre deux mondes que j'imaginais irréconciliables : cette grande bourgeoisie positive et compassée et les folies de l'imagination. C'était la chose la plus improbable qui soit. Pourtant maintenant cet improbable avait un nom. Jean d'Ormesson venait d'entrer dans ma vie.

Sur lui désormais je cristallisais mes rêves. J'interrogeais Solange. Je voulais tout savoir. Elle me dit qu'il venait voir sa sœur et qu'avec un peu de chance je pourrais l'apercevoir un jour. Lui parler ? Non, il n'en était pas question. Être un mauvais élève n'était pas un viatique suffisant pour me mettre en présence d'un écrivain, d'un agrégé de philosophie, d'un fils d'ambassadeur, qui plus est d'un ami de sa grande sœur, ce qui dans l'ordre des prestiges était peut-être supérieur à tous les autres. Je devais rabattre mes prétentions. Je l'admettais volontiers. Et la concession qu'elle m'accorda de l'apercevoir un jour, sans me faire remarquer, me parut mirifique. C'est ainsi que, posté sous une porte cochère au coin de la rue de la Pompe, je le vis sortir de l'immeuble d'un pas rapide et s'engouffrer dans son coupé Mercedes décapotable qui démarra en trombe, me laissant pétrifié. Il filait vers la gloire, vers le soleil. Je me rencognai dans l'ombre.

Je sortis de cet appartement encore plus pauvre que je ne l'étais en y entrant, déconfit, douloureusement conscient de mon infériorité. Je regagnai ma chambre de bonne qui me sembla encore plus exiguë. Comme pour confirmer mon sentiment de déréliction, des relents de poisson frit cuisiné dans la chambre voisine diffusaient une âcre odeur prolétarienne. Je me mis à ma table pour écrire. Si au moins je pouvais réaliser mes ambitions littéraires, au moins les esquisser ! Quel autre moyen avais-je d'échapper au prosaïsme de la réalité, à l'odeur de friture ? J'étais devant la feuille blanche. Aucun mot ne venait, aucune idée. J'étais condamné au rien.

L'enfer à Corfou

J'étais à nouveau en Grèce. Dans l'île de Corfou, si différente de ses sœurs des Cyclades à la beauté austère et dénudée. Ici, les pins, les cyprès, les oliviers composent un paysage à la joliesse italianisante. C'est un lieu de légendes, ce qui est toujours dangereux. On risque de s'y cogner à la réalité tapie derrière les mirages et les brumes des enchantements. Comme à Venise, dont elle est proche par l'architecture, beaucoup de couples en voyage de noces y ont fait naufrage. La lune de miel se transforme en fiel. La vie se venge de ceux qui attendent trop d'elle. Mais, à ce compte-là, on n'entreprendrait jamais rien de ce qui fait frétiller l'imagination. Cette fois, j'avais mis toutes les chances de mon côté. Je me sentais disponible pour le bonheur.

L'île au printemps se présente sous son meilleur jour. Elle est tiède et parfumée. Les grandes chaleurs ne pèsent pas encore. Les flots de touristes ne gâchent pas les flâneries dans la vieille ville aux ruelles sonores où l'on peut admirer à son aise la belle architecture vénitienne et ses porches sculptés. Les plages sont encore désertes, les tavernes du port accueillantes et les joueurs de backgammon de bonne humeur sur leurs chaises de paille quand personne ne vient troubler leur paisible désœuvrement.

De plus, je n'y étais pas seul. J'étais en compagnie d'une femme qui m'était d'autant plus chère que sa conquête s'était révélée difficile, aussi ardue que la prise de Famagouste justement par les Vénitiens. Tout conspirait à la rendre imprenable : non seulement elle était belle, mais elle était engagée dans une longue liaison avec un homme auquel elle était attachée et qu'elle refusait obstinément de tromper. À ces obstacles s'en ajoutait un autre : c'était une actrice – je l'appellerai Andrea –, et une actrice n'est pas une femme ordinaire. Outre que je lui attribuais beaucoup de la magie qu'elle possédait sur la scène, où les lumières sculptaient magnifiquement son visage, où tout concourait à la rendre irréelle et inatteignable, elle conservait ces attributs en revenant à la réalité quotidienne. Son attitude froide, hiératique, de statue habituée à l'admiration, ne m'aidait pas à la faire descendre de son piédestal. Quels efforts il m'avait fallu faire mentalement pour l'arracher à son enveloppe brumeuse de rêve et la considérer comme une femme après tout normale ! Quels autres efforts pour l'amadouer, la séduire, la détacher de sa liaison puis, enfin, la convaincre que je valais mieux que son amant en titre. Le miracle s'était produit. L'actrice était devenue une femme, sinon amoureuse, du moins aimante. Comble de félicité, c'est elle qui m'avait proposé une escapade à Corfou. C'était donc dans cette île bénie des dieux que se produisait cette inimaginable conjonction de chances. J'étais avec elle pour une semaine. Je l'avais tout à moi. Et c'était l'enfer. Pis, j'avais envie de la tuer.

L'hôtel que j'avais réservé dans la vieille ville sur la foi d'un guide touristique ne tenait pas ses promesses : situé dans une ruelle bruyante et malodorante, ce n'était qu'une bâtisse quelconque, hâtivement construite avec des matériaux bon marché pour piéger le touriste. Le lit était défoncé, les draps suspects, le linoléum moisi. La douche expirait après avoir vomi un filet d'eau tiède. Ce genre de contrariété est bien banal quand on voyage. On la répare aisément en changeant d'hôtel. Mais cette déconvenue eut des conséquences auxquelles j'étais loin de m'attendre : elle réveilla la diva impérieuse qui sommeillait dans la douce jeune femme qui m'accompagnait. Celle-ci se mua en virago capricieuse, tempêtante, qui regardait le choix de ce bouge comme une offense faite à sa personne et à son art. La manière dont elle exprima son mécontentement blessa mon amour-propre : elle imputait le choix de cet hôtel non seulement à mon incompétence, mais à mon avarice. Son irritation était stimulée par son penchant théâtral à exagérer ses effets. Elle poursuivait l'énumération de ses griefs afin que mon humiliation fût complète. Je regimbais. Par esprit de contradiction, je me mettais à trouver du charme à cette chambre déshéritée. Cela la mit au comble de la fureur. Finalement, je cédai. Sa méchante humeur ne passa pas pour autant. La lune de miel commençait mal.

Je la laissai choisir un autre hôtel. Elle jeta son dévolu sur celui qui me plaisait le moins. Ultramoderne, sans aucun charme, éloigné de la ville, loin de la plage, il n'avait comme avantage – je le compris plus tard – que son téléphone relié au réseau international qui allait lui permettre de ne pas perdre le contact avec son amant en titre.

Ce ne fut qu'une fois les valises déposées dans la chambre, à l'empressement qu'elle mit à allumer son ordinateur et à empiler divers documents sur une table, que je compris les raisons de son énervement. Elle m'avoua ingénument qu'elle était venue ici dans le but d'écrire un livre sur l'impératrice Élisabeth d'Autriche dont le château, l'Achilleion, était l'une des attractions de l'île. Ainsi, il n'était nullement question pour elle de consacrer ce séjour à des bains de mer, à des excursions, à des flâneries. Elle voulait s'adonner totalement à l'écriture de son livre. Comme un moine enfermé dans sa cellule. Elle avait pensé à tout en venant ici : elle avait réuni des documents, des ouvrages, s'était renseignée sur les horaires d'ouverture du musée de l'Achilleion, sur les contacts qui pouvaient lui être utiles. Oui, à tout. Sauf à moi. C'était fort. Je me voyais réduit au rôle de spectateur de sa lubie.

Être traité en surnuméraire était blessant. D'autant plus blessant qu'après tout, l'écrivain, c'était moi. J'étais supplanté par plus égoïste et plus narcissique que moi ! En une autre occasion, j'aurais mieux pris sa désinvolture. Mais, justement, je traversais une de ces crises de stérilité que connaissent les écrivains en manque d'inspiration. Pas le moindre projet de livre en vue. Mon stylo était en panne. La perspective qui s'ouvrait d'être désœuvré, en proie à l'ennui, tandis que ma compagne allait connaître les fièvres de la création et gambaderait avec son impératrice autrichienne, m'était insupportable. Maintenant que j'avais percé à jour son manège, je la voyais à nu, dans une impitoyable lumière : l'amour en s'enfuyant effaçait les mièvreries de l'illusion et les grâces trompeuses de la séduction.

L'ambiance des déjeuners qu'elle expédiait, pressée de rejoindre son ordinateur, était exécrable. Un lourd silence pesait sur nous. Nous nous regardions en chiens de faïence, dissimulant à peine notre exaspération. Quand elle manifestait des signes de bonne humeur, j'y voyais avec agacement la satisfaction qu'elle tirait de son travail. Je me renfrognais. Les dîners étaient pires : ils n'avaient pas l'avantage de la brièveté. Quant aux nuits, elles constituaient de véritables épreuves : hormis quelques étreintes aussi brèves et dépourvues de tendresse que des assauts de duellistes, j'étais en proie aux insomnies. Qu'y a-t-il de plus hostile qu'un corps dans un lit quand l'indifférence le rend aussi peu attrayant qu'un encombrant cadavre ? Tout m'exaspérait dans ce corps qui m'avait tant fait rêver : il prenait trop de place, il avait trop de pieds, il ronflait et faisait du bruit au moment où je commençais à m'assoupir. Car, sitôt éveillée en fanfare, elle ouvrait grand les rideaux, faisant pénétrer dans la chambre une lumière aveuglante pour se remettre devant son ordinateur.

Ma seule consolation consistait à compter les jours qui me séparaient de la fin de ce cauchemar. Mais le temps semblait ralentir son cours : l'ennui, l'aigreur du tête-à-tête, le désœuvrement accentuaient l'impression de son immobilité. D'autant plus que, loin de profiter de ma liberté pour faire des excursions, aller me baigner dans des criques à l'eau turquoise, je restais dans mon coin à ressasser ma rancœur, comme si je m'acharnais à gâcher les ressources agréables de ce déplorable séjour.

Enfin, le jour du départ arriva. Je l'accueillis comme une délivrance.

À Orly, nous nous séparâmes avec une politesse glacée. Nous évitions de nous regarder. Il n'existait pas entre nous la trace de la moindre tendresse. Nous n'avions plus en commun qu'une certitude : nous ne nous reverrions jamais. Quand le taxi l'emporta, j'éprouvai un sentiment de soulagement. Enfin !

Pourtant, une semaine plus tard, le téléphone sonna. Elle m'appelait ou je l'appelais. Nous nous revîmes. Sous la glace, jaillit une nouvelle flamme. Nous passâmes une nuit passionnée, bientôt suivie de beaucoup d'autres. Il ne fut plus jamais question de Corfou.

Décidément, l'amour n'est ni une science exacte ni une mécanique de précision.

Rendez-vous manqué

Je m'habituais à Solange. C'était une liaison confortable. Je la voyais plusieurs fois par semaine. Ni la jalousie ni le soupçon n'empoisonnaient le cours tranquille d'une relation qui me rassurait d'autant plus que je détenais une sensible supériorité dans ce rapport de forces dans lequel s'inscrit tout amour : elle était plus amoureuse de moi que je ne l'étais d'elle. Elle m'écrivait des lettres qui avaient un ton passionné. J'avais, moi, d'autres soucis que ma vie amoureuse : ce bac que je devais passer en juin et qui s'annonçait sous les plus mauvais auspices.

Nous avions prévu de nous voir un soir pour le dîner. Elle se décommanda la veille, prétextant un anniversaire organisé par des cousins auquel elle ne pouvait se soustraire. Elle me proposait de venir me rejoindre dès le dîner fini. Cet arrangement me convenait. C'est un moment délicieux que celui où on attend une femme qui doit vous rejoindre le soir, toute bruissante de la fête qu'elle a abandonnée pour vous ; au plaisir d'être préféré s'ajoutent les paillettes imaginaires que transporte une femme qui quitte une soirée : elle est parfumée de l'hommage des hommes, de leur désir, encore imprégnée de la gaieté de la fête et des vapeurs du champagne.

Tout cela, elle vient le déposer à vos pieds comme un présent qui accompagne son corps chaud, désirable, préparé à l'amour par toutes les excitations. Et cette robe de fête qu'on dégrafe qui révèle un corps dissimulé aux autres et qu'on a tout à soi.

Ce plaisir futur que j'escomptais m'engourdissait agréablement tandis que je me plongeais dans un roman de Knut Hamsun : *Sous l'étoile d'automne*. Dans ma chambre de bonne bien calfeutrée, d'où ne parvenaient que comme un écho assourdi les bruits des voitures sur le boulevard Montparnasse, je pouvais entendre le ressac dans les fjords de Norvège. Absorbé par ces randonnées dans une nature intacte qui ne semblait pas troublée par la malédiction d'un pasteur puritain devant l'éveil sensuel de sa fille, je ne savais plus où j'étais.

Soudain, un poinçon d'angoisse me transperça. Je regardai ma montre : l'heure à laquelle Solange m'avait promis de me rejoindre était depuis longtemps passée. La contrariété cassa le lien magique qui me reliait à ma lecture. Pourquoi était-elle en retard ? Je tendais l'oreille, essayant de percevoir le bruit d'un pas sur le plancher sonore du couloir. Il n'y avait que le silence. J'ouvris la fenêtre, espérant découvrir le taxi qui devait la déposer. J'apercevais beaucoup de taxis, mais ils filaient vers une destination inconnue sans qu'aucun songeât à s'arrêter en bas de chez moi. Du boulevard montaient des odeurs tièdes de gaz d'échappement, de vieux tickets de métro, auxquelles se mêlait le langoureux parfum du printemps.

Le temps me traversait douloureusement. Chaque seconde, chaque minute frappait mon cœur. De toutes mes forces, j'essayais de franchir par la pensée l'espace qui me séparait de Solange pour connaître la raison de son contretemps. Pourquoi ne venait-elle pas ? Était-ce ses parents qui la retenaient, ou des amis, ou ses cousins qui avaient décidé de l'entraîner dans une boîte de nuit ? Mais alors de quel retard sa venue serait-elle différée ? J'échafaudais toutes les combinaisons possibles qui pouvaient justifier qu'elle ne soit pas déjà avec moi. Mon esprit était tendu vers cette absence pleine de mystère : tout à la fois j'écoutais le moindre bruit dans le couloir qui pouvait annoncer sa venue et je m'acharnais à découvrir dans ce que je savais d'elle une cause plausible qui avait pu la retenir. Les heures passaient. Elles me déchiraient. Jamais je n'aurais pu imaginer que cette jeune fille pour laquelle je n'éprouvais que des sentiments tièdes pût provoquer en moi de telles souffrances. Cette souffrance la parait d'un attrait irrésistible. La jeune fille assez banale devenait précieuse. Je me reprochais de ne pas avoir mieux savouré les voluptés qu'elle m'avait accordées.

Une idée visqueuse s'insinua : et s'il y avait un autre homme ? Un rival, un homme qu'elle avait connu avant moi et avec lequel elle n'avait pas rompu ? Pourquoi pas un nouvel amant ?

Cette perspective d'un autre amant me semblait à tout prendre moins cruelle que son absence, qui me privait d'une volupté exacerbée par la contrariété et me devenait indispensable. Qu'elle fasse ce qu'elle veut, mais qu'elle vienne, me disais-je.

Et elle ne venait pas. À deux heures du matin, je décidai de descendre sur le boulevard. Ainsi, je la retrouverais plus vite. En dépit des signes qui auraient dû me rendre pessimiste, j'espérais toujours sa venue. Parce que j'avais un intense besoin d'elle, je me disais qu'il était impossible qu'elle ne vienne pas.

J'errais sur le boulevard, guettant les taxis ; ceux qui ralentissaient faisaient battre mon cœur.

À trois heures du matin, je regagnai ma chambre. C'était comme si toutes les voitures qui remontaient le boulevard passaient sur mon cœur. Je n'avais pas sommeil. J'avais faim de vérité. Je voulais savoir. Quel obstacle pouvait donc retenir une femme si prétendument amoureuse ? Si j'avais été amoureux, rien n'aurait pu m'arrêter. Alors peut-être ne l'était-elle pas autant que je l'avais imaginé. Peut-être qu'elle ne m'aimait plus ? L'idée d'un autre homme me semblait la plus plausible. Je m'assoupis avec cette angoisse et je m'éveillai avec elle. Mais ce n'était pas une idée vague, c'était un visage, un visage mystérieux, plongé dans l'obscurité, dont je ne pouvais pas déchiffrer les traits. Et, pourtant, il existait d'une présence forte et obsédante. Cette nuit-là, quelque chose se déchira en moi. Mais je ne savais pas quoi.

L'art du mensonge

L'explication avec Solange eut lieu dans un restaurant chinois ; une gargote de trois sous où l'on baignait dans une odeur de friture et de crevettes vinaigrées. Par les fenêtres grandes ouvertes parvenait l'haleine tiède du boulevard Montparnasse, qui sentait toujours le vieux ticket de métro. Solange était en face de moi, le regard fuyant comme une bête prise au piège. Rien n'était plus confus que les éclaircissements qu'elle me donnait pour se justifier. Plus mes questions devenaient précises et insistantes, plus elle se réfugiait dans des explications scabreuses. Le scénario qu'elle me proposait n'était guère plausible. Elle se contredisait. La jalousie stimulait ma clairvoyance et aiguisait mes soupçons.

Solange me mentait. Mais le désirait-elle vraiment ? Je la sentais partagée entre son désir de ne pas me perdre, de me faire le moins de peine possible et celui d'avouer la vérité qui lui brûlait les lèvres. Elle avait envie de me laisser deviner que quelqu'un la courtisait ; attention qui la rassurait plus qu'une autre. Quelle était la nature de ce rival ? Un soupirant, un amant ? Elle hésitait à faire un aveu qu'elle pourrait regretter. Certes, elle m'aimait mais cet amour qui la rassurait lui fermait les portes de cette griserie que lui apportait la conscience de sa séduction. Séduire, plaire, être aimée lui étaient aussi nécessaires que respirer. C'était avec cet opium qu'elle croyait parvenir à oublier sa blessure.

Et encore ne l'oubliait-elle pas ! Cette disgrâce physique, elle la buvait dans l'alcool avec lequel elle essayait de perdre conscience, dans la danse où elle se déchaînait, dans l'amour où elle se donnait avec fougue. Mais les lumières avaient beau être éteintes, l'angoisse de ce qui manquait à la perfection de son corps ne cessait de l'étreindre. Quel amour aurait jamais le pouvoir d'effacer la blessure qui l'humiliait ?

Enfin, elle avoua. Il n'y avait pas eu de dîner avec ses cousins. Oui, elle avait vu un homme. Oui, il avait été son amant. Mais elle prétendait qu'il ne l'était plus. Et qu'avaient-ils fait, ce fameux soir ? Que s'était-il vraiment passé entre eux ? Ils avaient eu une explication, affirmait-elle. Ce n'était guère plausible. Elle finit par le concéder.

— Non, seulement des baisers.

— Des baisers jusqu'à trois heures du matin ?

Sa position n'était guère tenable. Elle s'y accrochait pourtant avec l'énergie du désespoir puis, voyant que, décidément, son fragile alibi s'effondrait, elle avoua :

— Oui, nous avons fait l'amour. Mais je ne voulais pas. C'est lui qui m'a forcée. Je ne recommencerai plus jamais.

Elle éclata en sanglots, soulagée d'être délivrée de son effort nerveux. Les larmes coulaient sur ses joues, mêlées au Rimmel, laissant des sillons noirs. Ses yeux étaient rouges. Elle devenait laide.

J'étais accablé. Je souffrais et je la plaignais. La morsure de la jalousie était terrible. Mais j'éprouvais pour celle qui la causait une forme de pitié. Au fond de moi, je lui pardonnais le mal qu'elle me faisait. Ce n'était pas sa faute. La responsabilité incombait à une fatalité qui nous dépassait. Je souffrais, je la trouvais laide et, pourtant, je la désirais.

Je lui fis l'amour sans tendresse. Avec un double sentiment, la pitié et la vengeance.

Le génie du désenchantement

J'étais mal à l'aise. Sur des charbons ardents. Le soleil se couchait sur Saint-Florent, teignant la mer et le ciel de couleurs pourpre et violette, signal du décollage pour les escadrilles de moustiques. Sous les dehors d'une conversation badine d'avant-dîner, je subissais un interrogatoire implacable. François Nourissier, tout en faisant teinter les glaçons de son verre de whisky, m'observait à travers ses lunettes en verre fumé qui dissimulaient ses yeux d'huître malade. Doucereux, onctueux, il caressait sa barbe blanche, qui semblait postiche, par laquelle il voulait donner à son visage un caractère qui lui faisait défaut. Il n'avait réussi qu'à le doter d'un air de fausse bonté qui ne lui seyait pas. Un genre bon apôtre. J'avais l'impression d'être mis à la question par un inquisiteur laïque. Il me jaugeait comme s'il avait en tête de me faire avouer une faute secrète. L'intensité de sa suspicion était telle que je finissais par me demander si je n'avais pas commis cette mystérieuse faute. Je commençais à me sentir coupable. J'affrontais son regard dur, très peu compatissant, le même, je l'aurais juré, que celui avec lequel il observait le soir, dans sa chambre, les efforts d'un malheureux moustique pris dans une toile d'araignée pour échapper à son destin.

Sans mal, il diagnostiquait en moi un arriviste, mais d'un modèle qui le déroutait : sentimental et nonchalant ; un arriviste maladroit, cela va sans dire, car un arriviste véritable dissimule son jeu. Il se demandait subsidiairement quel usage il pourrait faire de cet arrivisme à son profit. Comment canaliser cette jeune et fougueuse ambition et la transformer en énergie récupérable ? Étais-je commercialisable dans le grand bazar des lettres ou dans la foire aux chevaux, pour rester dans le domaine hippique qu'il affectionnait ? Pouvait-on compter sur moi pour les paris du grand steeple-chase de l'avenir, ou n'étais-je qu'un de ces poulains inutilisables qui ont trop de sang pour subir un dressage ? Il y avait chez lui du maquignon qui ne veut pas se laisser rouler en dilapidant sa sollicitude, voire son amitié, pour un tocard, un arquant, un boiteux, un vousseux. Pis, un ingrat.

D'un certain point de vue, il n'avait pas tort. L'exercice de la vie sociale, qui est un échange permanent sous le grand soleil de l'amour et de l'amitié, amène à une certaine prudence, à la circonspection dans les élans. Il y a du négoce, du troc, du marchandage dans les séraphiques cocktails : avec quelle monnaie s'achètent les places, les corps, la volupté ? Nul moins que Nourissier n'était dupe de ce trafic incessant. Mais, chez d'autres, pas moins innocents que lui, une lumière spirituelle, le lait de la tendresse humaine, une bonté naturelle relâchent les mâchoires de l'intérêt. Nourissier n'avait accès ni au spirituel ni au secours de la bonté. Il croyait à une sorte de darwinisme social. En crocodile dominant, il avait conscience de s'être soustrait, par la grâce de son intelligence et de son talent étincelant, à la misère sociale qui guette les gens de lettres. Il avait conjuré les maux qui les maintiennent dans des existences mesquines à l'odeur de moisi : des perspectives chiches et étroites, l'obscurité, l'humiliante mendicité auprès des éditeurs, les commandes négrières. Certes, il devait tout à son talent, mais un talent servi par un art consommé de l'intrigue, une tête de stratège, des calculs savants de joueur d'échecs, des amitiés placées à la Bourse des valeurs sûres. Tout cela lui avait servi de viatique pour échapper à un milieu dont la médiocrité restait sa tunique de Nessus. Ce milieu de petits-bourgeois rances, il le détestait mais ne cessait de le décrire avec une délectation masochiste.

Du haut de ses bastions conquis à la force de la plume, il savourait avec une délectation cynique les courbettes, les flatteries, la flagornerie dont il était l'objet et qu'il recueillait à des titres divers : comme critique de haut vol, comme éditeur puissant, comme président du prix Goncourt. Mais n'avait-il pas fait un marché de dupe ? Maintenant qu'il avait atteint des sommets inexpugnables, il connaissait une forme subtile de torture : dans l'encens qu'on brûlait autour de lui, la révérence, les égards dont on l'entourait, il n'arrivait pas à démêler ce qui était sincère de ce qui ne l'était pas. Aussi les louanges excitaient-elles sa méfiance. Il était comme ces potentats orientaux qui ont ourdi mille intrigues pour se hisser au pouvoir et voient partout des ennemis dissimulés, des comploteurs, des séditieux. Ayant atteint son but, son âme n'était pas en paix.

Comme plus personne ne l'attaquait dans ce monde des lettres querelleur que la méchanceté n'effraie pas, il avait parfois l'impression d'être mort. Il jouissait en effet d'un privilège envié, presque inquiétant, une sorte d'immunité diplomatique exorbitante. Il n'avait plus que des laudateurs, des admirateurs qui balançaient leur encensoir sur son chemin désormais pavé de roses. Dans un pays qui fait profession d'irrévérence, où l'exercice de la fessée est hissé au rang de genre littéraire, où l'on n'hésite pas à se moquer de Victor Hugo, à traiter Anatole France de « cadavre », et qui n'épargne ni le pape ni le président de la République, quotidiennement molestés, personne n'osait s'en prendre à cette figure jupitérienne des lettres. Il ne connaissait ni les assauts à l'emporte-pièce des jeunes écrivains qui jettent leur gourme, ni les flèches empoisonnées des vieux chevaux de retour de la critique. Il n'était ni entarté ni éreinté. Les grands égorgeurs de la polémique semblaient soudain pacifiés devant lui, métamorphosés en agneaux par un miracle qui n'a pas épargné sainte Blandine des violences d'un taureau furieux : au lieu de le déchiqueter, ils lui léchaient les mains. Des esprits facétieux auraient pu avoir au moins la tentation d'égratigner le notable, de taquiner le grand vizir, de lui tirer quelques poils de sa barbe légendaire. Le seul pavé lancé dans ce climat de pieuse révérence l'a été par ce fou de Jean-Edern Hallier en desperado qu'il était. Et encore ce pavé ne visait-il pas les parties vives, l'œuvre de l'écrivain, mais le personnage public, le président du Goncourt, cible annuelle offerte rituellement au défoulement des passions d'automne.

Cette immunité avait quelques raisons : Nourissier faisait peur. Son personnage en imposait. Il disposait en outre d'une force de frappe qui dissuadait tout ambitieux tant soit peu raisonnable de la moindre velléité d'agression. Influent, décisif, à tous les carrefours de la vie littéraire, sa puissance de feu pouvait être dévastatrice. Juré, critique, éminence grise, il faisait penser à ces engins de guerre tout-terrain que la CIA prépare dans le désert du Nebraska et qui tiennent à la fois du sous-marin, de l'hélicoptère, du contre-torpilleur et du porte-avions. Ce n'était plus le Nourissier des béatitudes : c'était le Nourissier atomique. Nourissier le redoutable, Nourissier le redouté.

L'autre explication, c'était le talent. Un talent dont l'évidence s'imposait aux plus malveillants et qui s'illustrait dans tous les domaines qu'il abordait : le roman, la critique, l'essai. On ne pouvait pas non plus l'attaquer sur la sincérité de sa passion des lettres : tout était littéraire chez Nourissier, le personnage, l'ambition, la passion, la volonté de puissance à la Vautrin, les rêves, la barbe, le chien, la maison de campagne. Il était pétri dans l'encre et le papier, le crayon, le cabinet de travail, la machine à écrire, la bibliothèque. C'était un fou de littérature, un drogué, un monomaniaque, un obsédé.

Mais une particularité presque antinomique le distinguait des autres fous de sa sorte : c'était un fou raisonnable, travailleur, un obsédé méticuleux, un drogué ponctuel. Sa faculté maîtresse, c'était le contrôle. Sa vie, son œuvre étaient sans dérapages. D'où l'impression glaçante qu'au fond tout ce qu'il a écrit, tout ce qu'il a fait a été voulu, agencé, organisé, que rien n'a été laissé au hasard. On n'a jamais lu une sottise sous sa plume, ni une niaiserie et, parfois, on se prend à le regretter. On éprouve une impression semblable chez Nabokov. La littérature est pour eux un prodigieux exercice de volonté, d'intelligence magistrale : ils domptent leurs ténèbres, organisent leur folie, règnent lucidement sur leurs fantasmes. On ne trouve chez Nourissier ni de l'ébouriffé, ni de l'à-peu-près, ni de la négligence. L'intelligence règne en maître. D'où la sensation d'une perfection presque inhumaine. Critique, il tenait la comparaison avec Sainte-Beuve. À l'exact opposé d'un Bernard Frank, tout en digressions nombrilistes, il se vouait avec scrupules à son magistère qui le rendait puissant mais non sympathique : on le craignait, on l'admirait, peu l'aimaient. Curieusement, le critique qui se voulait le garde du corps chargé d'assurer la protection de son œuvre romanesque l'aura desservi. On avait trop l'impression de le lire avec un pistolet sur la tempe.

Comme romancier, Nourissier a subi deux influences. Il est l'enfant d'un bizarre croisement du naturalisme de l'école de Médan et de l'égotisme noir, masochiste et autodénigrant de Drieu la Rochelle. Mais Drieu restait stendhalien dans ses pires aveux. Nourissier a construit une œuvre antiromantique qui ne donne pas de l'humanité une vision réconfortante. Dostoïevski paraît primesautier en comparaison. Du moins son œuvre est-elle de temps en temps éclairée par la grâce. Les personnages de Nourissier, faits à sa ressemblance, n'ont pas d'issue de secours dans le spirituel. Ils sont arrimés à la glèbe, au terre à terre, à l'ornière de la vie matérielle, à l'artère qui claque. La foi, le sentiment apparaissent comme des illusions ou des impostures. C'est un monde où la chair prévaut, une chair qui peut être rose, d'apparence appétissante mais vouée au vieillissement et à la pourriture.

C'est souvent l'étouffement dans les romans de Nourissier. On a envie d'ouvrir les fenêtres, de humer l'air du grand large. La condition humaine qu'il nous montre est condamnée à l'asphyxie, à la décrépitude. Une œuvre non pas haute en couleur, mais haute en noirceur, qui nous dépeint avec un art consommé, à travers une grande variété de personnages, les divers symptômes de la maladie mortelle qui s'appelle la vie. Nourissier fait évoluer ses héros sous un ciel bas, pluvieux, une terre détrempée, dans des villes grises. Une atmosphère de défaite où les hommes et les femmes semblent connaître moins des passions que des fièvres, moins l'ambition que la démangeaison sociale, moins l'amour que la peur d'être seul.

Nourissier est l'écrivain du désenchantement du monde. Un grand artiste du noir. Il éprouve une sorte d'allégresse dans la peinture du pathétique, du grotesque et de l'imposture, à quoi se réduit pour lui toute existence. C'est un Maupassant qui, n'ayant pas la ressource de jouir désespérément des voluptés païennes, humerait les parfums de la déchéance et de la décrépitude avec une délectation et une jubilation littéraires. L'œuvre de Nourissier n'est pas inconcevable au temps du paganisme grec, ni à l'époque des grandes croyances religieuses qui enchantaient le monde et introduisaient dans la désolation une petite lumière spirituelle, une étoile qui luisait au milieu de la vision la plus noire. Littérairement, il semble avoir vécu dans un puits sombre où semblent à jamais taries les sources de la joie et de l'espérance.

Voilà les réflexions que je me faisais en face de ce monument des lettres tandis que nous passions à table.

Ce dîner m'inspirait un malaise. J'avais la tentation d'exister. Mais je sentais que, face à lui, je ne devais pas occuper une trop grande place. J'osai pourtant, ce soir-là, me lancer et mettre mon grain de sel dans une conversation d'autant plus périlleuse qu'elle tournait autour d'Aragon, sa chasse gardée. Sa griffe s'abattit sur moi.

— C'est faux, entièrement faux. Vous dites n'importe quoi !

C'était violent. Les convives jetaient sur moi des regards pleins de commisération.

Après le dîner, sous la véranda, à l'heure des cigares et des moustiques, je l'entraînai à l'écart pour essayer de me justifier.

Il prit mon bras d'un air patelin. Raminagrobis s'était radouci.

— J'ai été un peu vif avec vous. Mais, vous savez, je vous aime bien.

Ce qui était sans doute vrai. Je ne lui en voulus pas pour ce coup de patte avec lequel il voulait assurer son règne de fauve dominant. Je l'admirais trop pour me vexer. Son talent d'écrivain si étincelant faisait facilement oublier les aspérités de son caractère, d'autant qu'il pouvait se montrer aussi bienveillant et amical. Certes, il n'était pas gentil. Mais qu'importe, au fond : ni Chateaubriand ni Wagner ne devaient l'être. Quel mal il se donnait pour tirer un peu de bonheur de cette vie, assailli par les passions tortueuses qui se partageaient son cœur !

Sa fin fut atroce. Frappé par la maladie de Parkinson qui mina son corps avant d'atteindre sa formidable intelligence, il sembla soudain que ce destin horrible qui s'acharnait sur lui illustrait toute la noirceur de son œuvre. Comme s'il l'avait pressenti et s'était vengé d'avance de la malédiction de son interminable agonie.

Son éditeur, Jean-Claude Fasquelle, lui rendit visite dans la maison de repos où il s'était retiré. La nuit était tombée sur ce cerveau si lucide, ne lui laissant que quelques instants de clarté. Comme Fasquelle prenait congé, après de très longs silences, Nourissier se redressa et s'exclama :

— On a bien rigolé !

Étrange conclusion pour le neurasthénique invétéré qu'il avait été et qui apparaissait comme un lugubre ricanement à la porte du néant.

Le train du rêve

Voilà ! J'avais raté mon bac. Dans le train, je remâchais mon amertume. Cet échec m'accablait. J'étais humilié. J'avais l'impression que ce train passait sur moi, que j'étais coincé entre ses bogies, sali par ses fumées. Quel terrible retour à la réalité ! Cet échec bouchait mon horizon. J'étais bloqué dans mon expansion. J'avais tant rêvé d'études supérieures, de Sorbonne, de la liberté du Quartier latin. Certes, je rêvais de devenir écrivain mais le statut d'étudiant, beaucoup plus accessible, me semblait lui aussi plein de promesses : déambuler de café en café après avoir assisté à des cours magistraux dans les amphithéâtres, c'était déjà presque la vraie vie. Un avant-goût de la liberté. L'accès à de hautes intelligences.

Solange, l'amour, c'était tout ce qui me restait. Mon seul capital de rêve. Ce voyage dans le Midi pour aller chez elle ne me consolait pas de tous mes déboires, mais il apportait une distraction à mon obsession : cet échec de ma vie dont ce ratage au bac me semblait la triste confirmation. J'allais chez Solange pour les vacances et c'était tout ce qui me restait d'espoir.

Un château en Provence

La Provence s'empara de moi comme un coup de foudre. L'intense lumière blanche, le soleil triomphant faisaient paraître pâles et chlorotiques les ciels que j'avais connus. La chaleur sèche rendait l'ombre désirable et douce. Quelque chose de pimpant dansait dans l'air. Le parler chantant des habitants, la flèche sombre des cyprès, le parfum doucereux de la lavande, l'haleine poivrée de la garrigue bruissante de criquets et de cigales, tout m'enchantait. J'aimais les oliviers aux reflets métalliques, le mistral qui bandait ses muscles dans le couloir rhodanien. Chaque découverte me grisait. Ce pays, il me semblait que je l'avais connu dans une autre vie plus colorée, plus nonchalante, et que j'y avais trouvé le bonheur, loin des plaines mornes, de la froidure, des arbres à l'allure sinistre, dépouillés par l'hiver. Je me sentais des affinités avec son peuple volubile et chaleureux. Quel délice pouvais-je comparer à celui de me prélasser dans l'ombre fraîche de ma chambre à l'abri des persiennes qui striaient les murs et semblaient me vêtir d'une tenue de bagnard ? Surtout lorsque je serrais Solange contre moi et qu'elle m'étreignait avec cette fougue des femmes qui ont beaucoup à se faire pardonner.

Mes pas résonnaient dans les longs couloirs sonores du château. Les salons au sol couvert de tomettes cirées et multicolores, allant du jaune cobalt au rose, sentaient l'encaustique et la lavande. Dans les cuisines qui étincelaient de tous leurs cuivres flottait une bonne odeur d'ail et de romarin.

Édifiée à flanc de colline, la vieille bâtisse seigneuriale ouvrait sur un jardin fermé par des remparts en ruine, vestiges d'un château fort. Des ifs taillés, une fontaine qui crachait son eau dans un bassin créaient une atmosphère apaisante. Du haut des remparts j'apercevais au loin le Rhône, le barrage de Donzère-Mondragon et les monts bleutés du Vivarais qui se dessinaient dans la brume de chaleur.

J'aimais ce château pour sa beauté autant que pour ce qu'il signifiait à mes yeux : un symbole de raffinement, d'ordre, de distinction. Tout y était bien tenu et de bon ton. Cela me changeait de l'autre château où j'avais passé ma jeunesse, le Mesnil, un château de bohème, un peu à l'abandon, envahi par un sympathique désordre où l'on dormait dans des chambres glacées, des lits défoncés, avec un broc d'eau froide et une cuvette en émail pour se laver le museau. Une atmosphère elle aussi toute différente : électrique, nerveuse, bruyante, animée par des discussions passionnées et par des psychodrames auxquels se mêlaient des bonnes espagnoles vociférantes. Mais, dans ces couloirs et ces chambres aux tomettes disjointes, mal entretenus, passaient les fantômes de Mallarmé, de Valéry, de Berthe Morisot et de tant d'autres peintres qui y avaient laissé une poussière dorée. De cette poussière-là, au château de Donzère, on n'avait pas même l'idée.

La mère de Solange m'avait accueilli avec une délicieuse sollicitude. C'était une grande et belle femme qu'aucune contrariété ne semblait émouvoir. Élégante, elle promenait sur la vie un regard plein de compréhension et de bonté. Rien d'hostile ni de médiocre ne pouvait prospérer à côté d'elle. Loin de me manifester de la condescendance, elle me traitait avec bienveillance. Elle ne me tenait rigueur de rien. Pas même de mon bac raté.

Autour de Donzère gravitaient les familles amies des environs qui, par un tropisme qui semblait naturel, étaient également propriétaires de châteaux et appartenaient presque toutes à l'aristocratie. Ainsi, venue de Grignan, de Dieulefit, de Saint-Paul-Trois-Châteaux, une société se retrouvait l'été et communiait dans des rites et des valeurs un peu surannés. Ces familles menaient un combat perdu d'avance contre le monde moderne et ses bastions avancés : le communisme, le nivellement démocratique, la mauvaise éducation, l'Église passée à gauche. Aussi les conversations avaient-elles un parfum aussi désuet que la fleur d'oranger, comme si on les avait importées dans le temps, intactes, du règne de Charles X. Il n'aurait servi à rien de lutter contre les préjugés et les idées vieux jeu de cette classe qui se raccrochait comme à des bouées à quelques signes de reconnaissance. Mais ni le Bottin mondain, ni le Jockey, ni les armoiries gravées sur des chevalières en or ne pouvaient suffire à conjurer l'inéluctable marée démocratique.

Parmi les usages dont on m'ouvrait les arcanes et qui me semblaient aussi exotiques que les coutumes des tribus bororos, Solange m'enseignait qu'il fallait libeller les lettres de manière particulière : non pas banalement « Monsieur X », mais « À Monsieur, Monsieur X » ou « À Madame, Madame X » ; qu'il fallait appeler une princesse « Princesse » mais une duchesse « Madame la Duchesse ». Je me sentais fier d'être mis dans la confidence des codes de cette coterie si élégante. Comme je jugeais sévèrement les balourds dans mon genre qui les ignoraient encore ! Quand je parlais avec la mère de Solange de ces usages ésotériques, essayant de comprendre leur origine, elle m'adressait un sourire œcuménique :

— C'est l'usage, mais ça n'a pas beaucoup d'importance, me disait-elle pour ne pas blesser mon amour-propre.

Mais je sentais que, sous sa délicatesse, elle n'en pensait pas un mot. Bien sûr que c'était important ! Dans son ordre à elle, c'était même beaucoup plus important que d'avoir son bac.

Mon viatique était mince pour faire bonne figure. Avoir raté mon bac ne m'aidait pas. Cependant, je commençais à me plaire dans cette atmosphère raffinée. Qu'elle fût éloignée du monde réel me plaisait. Son parfum romanesque me grisait.

Je vivais dans un rêve. Je ne tardai pas à en descendre. Un soir que je me promenais avec Solange dans les rues pavées du village, nous fûmes assaillis par une bande de garçons qui me prirent à partie. Celui qui paraissait être leur chef se mit à m'insulter. Je vis même avec effroi le moment où nous allions en venir aux mains. Solange parlementa avec lui, à l'écart. Calmé, il nous laissa partir. Je ne tardai pas à comprendre la raison de son agressivité. Solange m'avoua qu'elle avait eu une faiblesse pour lui. J'étais blessé. Encore trompé ! Même si j'avais conscience que le problème que Solange réglait en me trompant avec ce garçon ne me mettait pas en cause, la souffrance n'était pas moins cruelle. Étais-je condamné à ne l'avoir jamais pour moi seul ?

J'étais à peine remis de cet incident que je sentis bientôt un trouble dans la maison. Une très perceptible gêne. Le père de Solange annonçait sa venue. Avec son corollaire : je devais déguerpir. Il était inconcevable qu'il trouvât chez lui l'amant de sa fille. Prototype du grand bourgeois louis-philippard, il avait sous son crâne chauve, qui semblait impeccablement ciré, la tête pleine d'ambitions sociales, de chiffres, de représentations. Il voulait que sa progéniture l'accompagne dans son ascension au lieu de le désobliger par des fréquentations douteuses. Or c'était mon cas. Au premier coup d'œil, il m'avait jugé pour ce que j'étais : infréquentable. Je n'avais ni argent, ni titre, ni diplôme. Je faisais figure de placement désastreux. Un incasable dans son univers géométrique. À force d'attitudes hautaines, de blâmes inexprimés, il croyait me décourager. Mais je tenais bon. Je jouais les passagers clandestins. Et lui, devinant que ses oukases n'étaient pas respectés, que j'avais des complicités dans la place, s'exaspérait.

Je ne lui en voulais pas de ne pas m'apprécier. En dépit de ses efforts pour se rendre antipathique, je ne le détestais pas. Certes, je le rangeais parmi les redoutables ennemis de la fantaisie et du bonheur, mais dans une catégorie romanesque : entre les figures tout aussi compassées de Monsieur de Rênal, de Monsieur de La Mole et de Monsieur Karénine.

C'est ainsi que j'échouai au Far-West. Était-ce un hôtel ? Plutôt un bouge poussé comme un champignon maladif à la sortie du village, dans une friche industrielle parfumée par les gaz d'échappement de la nationale 7. Une bâtisse chassieuse qui tenait du gîte de nuit pour routiers et du bar montant. Quelques filles fardées aux lèvres rouges attendaient le client. Dans les heures creuses, quand s'apaisait le tintamarre des casseroles de la gargote, je les entendais pousser des gémissements et parfois des cris qui faisaient vibrer les cloisons de ma chambre aussi fines que du papier à cigarettes. Cette chambre, qui comptait quatre lits aux draps douteux, était tapissée d'un papier peint qui se décollait. Un linoléum usé bâillait sur le sol. Tout de même, quelle dégringolade !

Quand je regardais au loin le château de Donzère que je ne pouvais manquer tant il dominait l'horizon de toute sa majestueuse architecture, il me semblait que j'étais le héros de *La vie est un songe* de Calderón : j'étais passé du palais au cachot.

Chaque jour, Solange, échappant à la surveillance de son père, venait me rejoindre. Au milieu des quatre lits, bercés par le bruit de freinage des camions sur la nationale 7, nous nous unissions dans la volupté aux gémissements des professionnelles. Quand elle repartait, un terrible cafard tombait sur moi. La vie serait-elle toujours aussi médiocre et vulgaire que dans ce Far-West ? Quel sort m'attendait ? Dans la nuit étoilée, suivant le parcours des lucioles et des étoiles filantes, je songeais à mon existence bizarre. La femme que j'aimais m'avait trompé, j'étais interdit de séjour dans le château, j'avais raté mon bac, je moisissais dans un hôtel infect et pourtant, contre toute attente, j'espérais. Je fixais une étoile. Où me conduirait-elle ? Serais-je un paria ? Tout ce que je vivais, bon ou mauvais, ne pouvait être l'effet du hasard. Cela devait avoir un sens. Mais comment le déchiffrer ?

DEUXIÈME PARTIE

LA TRAHISON

Le démon de la jalousie

Trop de bruit, trop de musique, trop de monde. Surtout, trop de garçons. Tous éveillaient mes soupçons. Je n'avais pas assez de bras pour retenir Solange, pas assez d'oreilles pour écouter les propos qu'ils lui chuchotaient, pas assez d'yeux pour la voir quand elle s'éclipsait. Cet hôtel particulier de la rue Spontini n'était que recoins, petits salons, boudoirs accueillants, pièces dérobées qui lui offraient toutes les occasions d'échapper à ma vue. Quel était l'absurde architecte qui avait conçu une maison à ce point complice des manœuvres galantes ? La foule compacte des invités établissait un redoutable barrage. Quand Solange me quittait, la houle humaine l'absorbait et l'entraînait. Je désespérais de la trouver. Je la cherchais. Je la découvrais souriante, en plein marivaudage avec un benêt aux oreilles décollées, le front en sueur. Je me plantai devant eux, raide, vindicatif, les mâchoires serrées pour exprimer un mécontentement dont la cause semblait leur échapper. J'invitai Solange à danser. Tandis que je la tenais dans mes bras, je commençai à me détendre. Mais cette danse était vite empoisonnée : dès qu'elle s'achèverait, Solange se jetterait dans d'autres bras. En effet, un danseur me l'arrachait. Je scrutais les symptômes d'une possible connivence entre eux : le manège de leurs mains, l'intensité de leurs regards. J'essayais de mesurer ce qui, dans leurs sourires, pouvait se muer en complicité sensuelle. Ne se tenaient-ils pas trop serrés ? Lui donnait-elle son numéro de téléphone ? J'étais au supplice. Mais à quoi bon me soucier de ce danseur-là et pas d'un autre ! Dans cette soirée, les soupirants de Solange devaient abonder. Mais comment repérer ses anciens amants de possibles amants actuels, de ceux qui pouvaient le devenir ? Comment distinguer une tentative de séduction de la simple camaraderie ? Tous les garçons qui s'approchaient d'elle me paraissaient suspects. Même ses amies avaient des airs d'entremetteuses. J'avais l'impression d'être au sein d'une immense conspiration qui n'avait qu'un but : pousser Solange à m'être infidèle.

Soudain, l'obscurité se fit. À un silence de surprise succédèrent un brouhaha et des cris de joie : les plombs avaient sauté. Je fus saisi d'effroi. Tout semblait devenir complice des manigances amoureuses de Solange, tout favorisait ses flirts. Qu'allait-il se passer si l'obscurité durait, cette obscurité si propice aux baisers volés et aux complicités amoureuses ? Retrouverais-je Solange ? On alluma des bougies. Puis la lumière revint. Une odeur de caoutchouc brûlé se répandit.

Je retrouvai Solange en conversation avec un grand garçon roux aux yeux bleus qui, au premier abord, m'avait paru sympathique. Ce Léopold, qu'on appelait Léo, se métamorphosa, dès que je le soupçonnai, en adversaire. Je suivis sa tignasse rousse, redoutant qu'il n'ait ménagé un autre tête-à-tête avec elle.

Plus la soirée durait, plus elle me pesait. S'il n'avait tenu qu'à moi, je serais déjà parti depuis longtemps. Ou plutôt je n'y aurais même pas mis les pieds. J'étais prisonnier de mes contradictions : je souffrais de sortir en compagnie de Solange, mais je souffrais encore plus de la voir sortir seule, hors de ma surveillance. Même si cette surveillance était bien illusoire. Elle me privait surtout de prendre le moindre plaisir à cette fête. Je me détestais de cette image ombrageuse que je devais immanquablement produire. Celle d'un rabat-joie. Ce n'était pas ainsi que je garderais Solange. Mais je ne pouvais briser l'armure de rancœur qui m'emprisonnait. J'avais perdu cette innocence qui donnait tant de charme à notre relation à ses débuts. Était-ce ma faute ?

Désormais, je le savais, Solange me tromperait toujours. Elle avait la trahison dans le sang. Me tromper lui était aussi naturel que, pour une autre, être fidèle. Ce constat aurait pu m'amener à sévir, à la quitter, du moins à la menacer, si cette sanction ne m'avait pas paru bien plus cruelle pour moi que pour elle. Mais cette sévérité m'était d'autant plus impossible que je ne condamnais pas sa conduite. Je la comprenais. Je lui trouvais des excuses. J'allais plus loin encore : je m'identifiais à elle. Je faisais mienne son infirmité. Si je passais en revue les mille raisons pour lesquelles une femme trompe un homme, la sienne me semblait la plus excusable. La compréhension ne diminuait en rien ma souffrance. La mécanique folle de la jalousie se moquait éperdument de mes raisonnements.

Tant que je n'avais pas eu la preuve qu'elle me trompait, je pouvais vivre dans l'illusion. Cette illusion dissipée, je ne pouvais plus me raccrocher à rien. Sa vertu ne la protégeait plus. Désormais, tout homme était une menace, toute circonstance un danger, toute fête un piège.

Quand je regagnai ma chambre sous les toits, l'aube commençait à décolorer le ciel au-dessus du Sacré-Cœur. Un ciel gris et morne qui, après la Provence, avait un air de punition. J'ouvris la fenêtre : l'air tiède de septembre pénétra dans la chambre. J'étais dégrisé. La jalousie, comme l'alcool, se dissipait, laissant place à une impression de morne dégoût. Pourtant, la vie était belle ! Pourquoi fallait-il que s'immiscent toujours la déception et le gâchis ?

Sculptées dans l'ébène et le mystère

C'est un archipel de petites lumières éparpillées dans la nuit. Cela ressemble au spectacle qu'offre le survol nocturne de la côte africaine. Mais les îles lumineuses du continent noir sont des signes de vie, elles rassurent. Celles-ci inquiètent. Ces lumières signalent les camionnettes à l'arrêt dans les allées bitumées du bois de Vincennes. Des bougies fichées sur le tableau de bord éclairent l'habitacle d'un doux halo faussement paisible. Là, dans le clair-obscur si caractéristique des tableaux de La Tour, sur le siège du conducteur, se tient une femme à demi dénudée, l'air songeur. Parfois, elle brosse ses cheveux ou se peint les ongles. Elle est nigériane. Comme elle, aux alentours, elles sont des dizaines à attendre. Sortant des bois et de l'obscurité, tout un ballet de personnages s'agite autour d'elles. Ils surgissent, ombres furtives, les yeux écarquillés par la lumière. Il y a de tout dans cette faune : voyeurs, clients, souteneurs et, parfois, des voyous avinés venus « casser de la pute ». À quoi s'ajoute la police qui fait des rondes et embarque les filles qui, fières, descendent de leur camionnette en rajustant leur longue tunique.

C'est à bord du Béthel, un autobus à bout de souffle affrété par l'association « Aux Captifs la Libération », que je découvre ce carrefour de misères. La réalité de ce monde, je suis condamné à n'en voir que la surface sordide et poignante. Pas l'horreur. L'œil ne distingue pas ce qui se dissimule derrière ce spectacle ; les coulisses sont interdites aux non-initiés. Seuls ceux qui s'y sont aventurés savent de quoi est faite cette jungle où se débattent les filles : les passe-droits, la corruption, la violence, toutes les violences, les punitions, la croix-des-vaches, la torture, le crime.

Les deux bénévoles que j'accompagne dans leur tournée nocturne, un garçon et une jeune femme d'une trentaine d'années, ne tiennent aucun discours moral avec les filles. Ils n'ont aucune proposition de réinsertion. Leur seul but est de leur venir en aide, offrir de l'amitié, un thé brûlant et, dans des corbeilles en osier, des petits cadeaux qui ressemblent à des bonbons : du gel et des préservatifs. Ces bénévoles sont des militants chrétiens. L'association a été créée par un prêtre, le père Giros. Distribuer des préservatifs ne leur pose aucun cas de conscience. « On n'en est plus là », semblent-ils dire. Il est vrai qu'en venant dans ce lieu déshérité on a franchi une mystérieuse frontière. On s'allège de beaucoup de préjugés. On se dépouille de sa morale de prêt-à-porter ; on jette par-dessus bord les convenances et les valeurs du monde normal, un monde qui, à un kilomètre d'ici, vit comme si de rien n'était. Cette existence des familles, les amours, les mariages, les divorces, les enfants qui vont à l'école, vus d'ici, paraissent aussi chimériques qu'un conte pour enfants. Quoi de commun entre ces deux univers qui s'ignorent ? L'argent, bien sûr ! Et cet or qui brille dans un lieu où l'on n'attend plus rien et qu'apportent en souriant les jeunes bénévoles : la douceur de la charité.

À travers la vitre de sa camionnette, une jeune femme tourne vers moi ses yeux tristes. Elle ne doit pas avoir beaucoup plus de vingt ans. Quelques minutes plus tard, elle et sa « copine » – sans doute le seul mot de français qu'elle connaisse – nous rejoignent. Elles vont toujours par deux dans leur véhicule. On leur sert du thé, du chocolat. D'autres arrivent : elles sont belles, jeunes, et dissimulent leur nudité sous un châle. Leurs longs corps graciles aux attaches fines, leurs visages aux pommettes saillantes leur confèrent des airs de princesse nubienne. L'une d'elles, une nouvelle, semble craintive, apeurée. Dans son regard, il y a une lueur d'effroi, comme une biche qui vient d'échapper à la meute. Enveloppée dans une couverture, hiératique, elle se mure dans le silence. Elle s'appelle Eva. Elle ne parle ni français ni anglais, seulement un dialecte ghanéen. Peu à peu, elle se détend, accepte une tasse de thé. Elle sourit. Et ce sourire, si lent à venir, apparaît comme une victoire.

Ces filles, souvent très belles, ont beau être à demi nues, elles ne m'inspirent aucun désir. La rude convoitise des hommes ne recule pourtant devant rien : elle ne s'apitoie pas devant des jeunes filles fragiles, égarées en terre étrangère. Elle ne rechigne nullement à abuser d'un être dont le malheur est si palpable qu'il semble les enfermer dans ses barreaux invisibles. Ce que je ressens, c'est un sentiment doux et triste : l'impuissance et la pitié. La pitié surtout. Elle me dévaste. Car, loin d'être différentes, ces femmes sont comme les autres : terriblement semblables à nous.

La pitié me relie à elles par un lien invisible. Elle m'enferme dans un tête-à-tête avec leur tragédie. Leur déchéance m'humilie. Grâce à ces filles, je comprends combien j'ai vécu dans l'illusion. Illusion du bien et du mal. C'est tellement facile de se croire préservé de l'abjection tandis que d'autres y seraient condamnés. Illusion de cette société dont la morale, qui consolide un édifice de bonne conscience et de mauvaise foi, n'est faite que pour se protéger d'une vérité insupportable.

L'une des filles, Marine, demande que l'on dise une prière. David, le jeune bénévole, installe sur une table marocaine en cuivre un petit crucifix en bois et une icône représentant la Sainte Famille. Il allume une bougie.

Marine commence la prière en anglais : « *We are going to prey especially for Maria, for Dorothea and for Eva. For their family who stayed in their country, for their friends...* » Après un moment de recueillement, les filles entonnent un cantique dans leur dialecte africain. Un chant douloureux qui s'élève comme une protestation de l'âme. Puis Marine entame le *Notre Père* : « *Our Father, Who are in Heaven, allowed by Thy name, Thy Kingdom come... for ever and ever.* Amen. »

Cette prière récitée ensemble, au-dessus de la corbeille de préservatifs, à quelques mètres des camionnettes, a une intensité et une ferveur que je n'ai jamais connues. De ce véhicule à l'arrêt, au milieu des filles les plus abandonnées, les plus déshéritées, monte une lumière surnaturelle. Ces êtres voués à la non-existence, à l'esclavage, sont soudain illuminés : à la beauté de leurs traits s'ajoute une autre beauté qui les transfigure. Si quelque voyeur nous surprenait, ou un de ces rôdeurs enchaîné à sa turpitude, il ne comprendrait certainement pas ce qui se déroule dans ce petit bus. Qu'une prière soit dite dans ce lieu de misère, c'est un défi à l'indignité du monde. Qu'une aussi ardente lueur puisse sortir d'une telle nuit, c'est la question qui ne laisse pas de me hanter. Pourquoi Dieu, le plus inattendu des visiteurs du soir, ici, dans cette circonstance, a-t-il choisi de s'immiscer parmi nous ?

Puis les filles se drapent dans leur châle et repartent se fondre dans la nuit.

L'épreuve de la pitié

La chambre de la clinique des sœurs visitandines, rue de Vaugirard, ouvrait sur un vaste jardin. Dans les couloirs flottait une odeur de formol et d'encaustique. La clinique baignait dans une douce lumière qu'on pouvait croire spirituelle en voyant les sœurs à cornette blanche glisser sans bruit sur les parquets cirés. Solange était allongée sur son lit médical aux tubulures chromées. Son visage était à demi couvert de pansements. On l'avait opérée la veille. Elle s'efforçait de sourire et parlait avec difficulté. Elle rayonnait de cette gaieté intérieure qui semblait ne jamais la quitter. Même dans les pires moments.

Je lui parlais. J'éprouvais ce malaise que l'on a toujours en face des malades. Les mots ne venaient pas. Je devais les extirper du fond de ma gorge. Que lui dire ? Je n'osais aborder son opération. Cette visite formelle dans ce lieu étranger, interrompue par les médecins et les infirmières, ne se prêtait pas à l'expression des sentiments qui me bouleversaient. Je souffrais pour Solange. Ce qui était en jeu était d'une telle importance ! Il ne s'agissait de rien d'autre que de lui rendre sa beauté. Effacer la balafre qui blessait sa lèvre.

Elle sentait mon trouble. Je lui pris la main. Elle serra la mienne avec force pour m'exprimer sa reconnaissance d'être venu la soutenir. Quel amour il y avait dans cette main qui serrait la mienne ! Je savais la préférence qu'elle me manifestait en me demandant d'être près d'elle dans ces circonstances. À quel autre amant aurait-elle pu demander d'assister au spectacle de son humiliation ?

Tandis que je la voyais immobilisée sur son lit d'hôpital, je ne pouvais me défendre d'une mauvaise pensée : j'éprouvais une sorte d'apaisement à la savoir gardée jour et nuit par des sœurs à cornette, prisonnière de ces murs blancs. J'étais rassuré. Je n'avais plus à craindre ce qu'elle faisait les soirs où je ne la voyais pas. Les soupçons ne me ravageaient plus. La jalousie me laissait en paix. Mais cette paix, combien de temps durerait-elle ? Solange, sa convalescence passée, allait reprendre sa vie d'avant. Et j'allais recommencer à souffrir.

L'esthète des révolutions

Dans ce bureau qu'il voulait à son image, aristocratique, exotique et mystérieux, il déployait devant moi les marques d'une politesse appuyée qui me faisaient penser aux doucereuses manières d'un mandarin. Les volutes d'opium qui flottaient entre nous auraient pu renforcer cette illusion s'il ne s'était agi, plus banale, de l'âcre fumée de son cigare, un bâton de chaise qu'il tétait avec une moue désabusée. Devant lui, un imposant échiquier aux pièces sculptées dans la pierre de jade semblait symbolique : avec son interlocuteur, une partie était toujours engagée. Il affectait en tout le beau style qui enveloppait sous des formes raffinées la brutalité de ses provocations. Comme une kalachnikov dans un sac Hermès. C'est ainsi qu'il s'aimait, et il s'aimait beaucoup, vouant un culte à son intelligence, à son courage et à ce caractère double et trouble qu'il imprimait à tout ce qu'il entreprenait : entre deux eaux, entre deux races, entre deux mondes. Surtout, entre le bien le mal dont les frontières instables le laissaient songeur. Aussi pyrrhonien que Montaigne, adepte du doute universel, il y avait en lui une volonté de puissance nietzschéenne. Deux positions intellectuellement incompatibles, pourrait-on dire. C'était justement ce qui lui plaisait : l'alliance des contraires, les alliages adultères, comme si son sang mêlé avait infusé son métissage à sa conception de la vie. Un sang français battait dans la diastole, un sang chinois dans la systole. J'étais en face de Jacques Vergès.

Il ne boitait pas dans son métissage. Loin d'en éprouver un complexe, cette singularité stimulait son orgueil. Les humiliations ne l'avaient pas entamé : elles l'avaient rendu plus fort. Comme un arbre qui a poussé entre les pierres sur un sol aride s'y accroche et renforce ainsi sa résistance. L'humiliation était son carburant personnel. C'était aussi son empire : il régnait sur tous les humiliés. Il prenait fait et cause pour eux. Mais ce qui lui plaisait particulièrement, c'était de prendre les puissants dans le piège de leurs contradictions. Tous les puissants : les États, les riches, les grands propriétaires. Évidemment, l'Amérique lui offrait, en matière d'hypocrisie, d'âpreté mercantile, dissimulées sous les bons sentiments, la Bible et la ségrégation raciale, les droits de l'homme et la bombe H, un terrain de choix. Mais quelle est la nation qui, de ce point de vue, n'est pas à sa manière un peu américaine ? D'où sa suspicion à l'égard des États qui auraient pu le faire pencher vers l'anarchie.

Sa méfiance envers moi se dissipait. Une méfiance générale à l'égard des hommes, de l'espèce humaine avec laquelle, non sans raison, il s'attendait toujours au pire. La barrière de corail ainsi franchie, il était détendu, cordial, savourant l'instant, aimant jouer avec son interlocuteur, se montrant volontiers fastueux. Il aurait considéré comme une insulte aux pauvres qu'il défendait de ne pas fêter leur victoire avec le meilleur champagne dans les meilleurs restaurants. De ce point de vue, l'abbé Pierre suscitait ses sarcasmes. Il se voulait, lui, un aristocrate de la cause des peuples.

Je me souviens du sourire d'étonnement qui se peignit sur son visage lorsque, à notre première rencontre, je lui demandai s'il avait, lui aussi, la conviction qu'Omar Raddad était innocent. La question dut lui paraître rafraîchissante. Cela le changeait de sa fréquentation des policiers retors et des magistrats cauteleux. Il avait en face de lui quelqu'un de vraiment naïf.

— Je suis prêt à vous le jurer !

Puis, souriant à nouveau :

— C'est même mon premier innocent. Jusqu'à présent, j'ai défendu des gens qui n'étaient pas des anges. Les terroristes pour lesquels j'ai plaidé à Alger qui avaient jeté des bombes dans la foule, tué des enfants, ce n'était pas précisément ce qu'on appelle des innocents.

Il éclata d'un grand rire :

— Carlos non plus.

Au cours de ce premier entretien – il y en eut beaucoup d'autres –, nous nous jaugions mutuellement. Il y avait entre nous une curiosité réciproque. Au-delà du motif qui justifiait ma visite, il se demandait à qui il avait affaire. Durant sa longue existence tumultueuse, il avait eu l'occasion de voir de sacrés spécimens humains. Mais il n'était pas blasé. Il continuait de les goûter comme il faisait avec les bonnes bouteilles millésimées. Dans un être, il retrouvait toujours le goût d'un terroir, il mesurait son exposition au soleil, il spéculait sur la terre riche ou pauvre qui l'avait nourri.

En matière de spécimen humain, avec lui, j'étais servi. J'avais en face de moi un homme qui avait trompé tous les déterminismes. Il était imprévisible. Certes, on pouvait expliquer par le métissage son engagement tiers-mondiste. Mais cette clé ne suffisait pas à comprendre son comportement. Il sortait du lot. Cet homme, à l'évidence humilié dans sa jeunesse, qu'on imaginait épris de revanche éclatante, avait tordu le cou à tout désir d'obtenir des distinctions sociales : les décorations le laissaient froid. Il les regardait comme des amulettes sans valeur et même comme des signes d'imposture. J'ai rarement connu un homme ayant avec la société une relation aussi détachée : il n'éprouvait aucun besoin de reconnaissance. Sa propre estime lui suffisait. Il considérait qu'il était le meilleur juge dans ce domaine, d'autant qu'il s'appréciait dans une table de valeurs très peu conventionnelle, proche de celle du surhomme nietzschéen. Par conséquent, la fausse monnaie des honneurs lui importait peu. Pas plus que ne le troublaient l'opprobre, la médisance, les injures dont on l'abreuvait.

La farce des droits de l'homme et de l'humanisme jouée dans les organisations internationales avait le don d'exciter sa verve. Il ne manquait aucune occasion de vilipender la tartuferie des forts pour réprimer les faibles. Dans sa dénonciation, il rejoignait le Céline du *Voyage au bout de la nuit* et le Romain Gary des *Cerfs-volants*.

D'où son mépris pour l'establishment politique. D'où son ironie lorsque la directrice du *Who's Who* lui avait demandé l'autorisation de le faire figurer au milieu d'eux : « Madame, je reçois votre invitation et vous en remercie. Malheureusement, je dois la décliner car je ne pourrais supporter longtemps le voisinage de la moitié des occupants de votre annuaire qui représentent tout ce que j'abhorre en ce siècle : la culture de l'énarque, l'élégance du parvenu et la morale du faussaire, tous humanistes ! Avec mes regrets. »

Peut-être l'Académie lui aurait-elle plu, cependant. Quand nous en parlions, je voyais son œil s'allumer et il ne haussait pas les épaules devant elle comme devant la totalité des hochets honorifiques. Pour lui, l'Académie, c'était la France. Et cet internationaliste était au fond patriote. Sa seule réticence tenait au fait qu'il était conscient de n'avoir aucune chance d'y être élu. Il sentait trop la poudre, la violence, la révolution. Il n'était domesticable par aucune institution. Je représentais sans doute pour lui un modèle de bourgeois épris de déculpabilisation, marqué par une éducation chrétienne qui stimule la compassion et par la littérature qui porte à la défense des causes perdues. Il n'allait pas plus loin. Il ne perdait pas son temps à s'intéresser exagérément aux autres. Son moi exigeant requérait trop son attention. J'étais, en ce qui me concerne, plus disponible pour entreprendre une exploration des méandres de sa personnalité. Au-delà du motif de mes visites qui avaient Omar Raddad pour objet, je cherchais la réponse à une question beaucoup plus générale. Une interrogation plus profonde que de me renseigner sur son itinéraire d'aventurier. Je me posais la question que je me pose à chaque nouvelle rencontre avec plus ou moins de curiosité. Je voulais comprendre le roman de sa vie. Et, par là, je n'entends aucun épisode secret, aucune révélation, aucune zone d'ombre, pas même de savoir s'il avait vraiment passé sept ans de sa vie avec son ami Pol Pot.

Non, ce qui m'intéressait, c'était de toucher la part romanesque dont était faite sa vie. La part intime dont on ne fait jamais l'aveu ou, alors, parfois, le soir, à un compagnon de hasard dans le bar d'un port étranger ou à une inconnue qu'on ne reverra plus.

Je m'interrogeais sur les origines de notre si improbable entente. Par-delà les différences, qu'est-ce qui pouvait nous rapprocher et créer entre nous ce climat de connivence ? Qu'il ait été gaulliste en 1940, et il le restait en dépit de sa teinture marxiste, son courage à Alger quand il défendait au péril de sa vie les terroristes du FLN me montraient qu'il était plus complexe que la légende sulfureuse dans laquelle certains voulaient l'enfermer. Curieusement, nous nous rejoignions sur une même incrédulité et une même méfiance envers la société. L'innocent, dont on avait voulu à tout prix faire un coupable, nous en paraissait la patente illustration. Mais cette société devant laquelle nous éprouvions les mêmes soupçons, je crois que, dans sa violence, il aurait souhaité sans regret sa disparition. Là était notre désaccord. L'aventure révolutionnaire ne me grisait pas. Elle est toujours payée de trop de sang. Mais lui, le sang ne l'effrayait pas.

Passager clandestin

Contrairement à mes prévisions, je ne souffris pas. Solange, pendant sa convalescence, semblait s'être assagie. Ne la suspectant pas, je n'avais donc pas matière à soupçons. J'allais lui rendre visite dans les heures ouvrables où j'étais certain de ne pas courir le risque de rencontrer son père : celui-ci maintenait à mon égard une exclusion implacable. Je ne lui en voulais pas. Je comprenais sa rigueur. Dans les mêmes circonstances, il me semblait que j'agirais de même. Il n'entrait d'ailleurs aucun sentiment de sympathie ni d'antipathie dans son attitude à mon égard. Il me rejetait non pour ce que j'étais (il s'en fichait), mais pour ma médiocre enveloppe sociale – ce qui, bien sûr, m'humiliait mais ne me mettait pas fondamentalement en cause. Richelieu domestique, il obéissait à la raison d'État des familles bourgeoises. Il respectait un code de la même façon que, vivant en Virginie, il m'aurait exclu parce que j'étais noir. Sa sévérité était du reste toute formelle : s'il était entendu qu'il ne devait jamais me rencontrer chez lui, il soupçonnait son épouse et, bien sûr, sa fille de ne tenir aucun compte de son exclusive. Il acceptait, je ne dis pas de bon cœur car

l'expression ne convenait pas à un homme très peu sentimental, mais avec philosophie, car sa raison lui enseignait que le pouvoir, surtout absolu, a ses limites et
qu'une fois les lois édictées et les sentences prononcées il
ne faut pas être trop regardant sur leur application.

C'est ainsi que, rue de la Pompe, j'étais devenu une
sorte de passager clandestin. Comme tel, je sortais en
rasant les murs de cet immeuble haussmannien ultra-
bourgeois, conventionnel, avec ses moulures en stuc, ses
tapis moelleux et sa concierge suspicieuse. Je passais
mes journées libres à voir Solange. Je n'avais pour
contrainte que de vider les lieux avant l'heure fatidique
où le père rentrait chez lui, faisant comme l'arrivée du
blizzard baisser immédiatement la température.

La mère de Solange me comblait de gentillesses pour
mettre du baume sur mes blessures d'amour-propre.
Bien que le rituel de mon départ se passât sans la
moindre explication, je feignais de devoir partir sous
un fallacieux prétexte ; elle feignait de me croire et je
m'éclipsais, craignant toujours de croiser la statue du
Commandeur dans l'escalier.

Jean d'Ormesson, dont j'avais vu le roman dédicacé
dans la chambre de la sœur de Solange, avait droit, lui,
au tapis rouge. Comme écrivain, normalien, agrégé de
philosophie, fils d'ambassadeur, sa présence n'était pas
redoutée comme la mienne, mais ardemment souhaitée.
Il était fêté et honoré autant que j'étais mal vu et blâmé.
Il laissait derrière lui un parfum de succès, d'élégance
qui me faisait blêmir d'envie. Quand je le voyais démarrer à bord de sa Mercedes décapotable garée à la va-vite
au coin de la rue de la Pompe, j'avais l'impression qu'il
cumulait vraiment trop de chances. Certes, je faisais la

part de ses mérites qui étaient grands et des miens qui étaient minces.

J'aurais pu me révolter contre l'injustice qui m'était faite. Cela ne me venait pas à l'esprit. Ce que j'aimais dans ce milieu que je découvrais – si différent de celui si peu codifié de ma propre famille –, c'était l'ordre. Cet ordre me paraissait reposant. Tout ce qui avait trait à la vie en société et aux relations humaines était impeccablement rangé dans de mystérieux tiroirs : chaque situation était régie par un code des usages souverain. Rien n'était laissé au hasard. Aucune place n'était permise à l'improvisation. Ce milieu gouverné exclusivement par des motifs positifs manquait à l'évidence du charme de la bohème. Un charme dont il s'inquiétait d'autant moins qu'il s'était édifié pour lutter contre les égarements du cœur et les folies sentimentales, si délicieuses pour ceux qui les commettent et si dommageables pour l'ordre social, et pour le bonheur dans le sens qu'on lui donnait ici. Embrigadée dans les conventions et étroitement gardée contre les débordements, cette famille semblait remarquablement harmonieuse. C'était un solide vaisseau impeccablement armé pour affronter les tempêtes. Le divorce y était prohibé alors que l'adultère, à la condition qu'il fût mené avec un grand respect des formes en évitant qu'il ne devienne un objet de scandale, semblait la seule concession faite à cet organe si peu raisonnable, facteur de troubles, de suicides, de dépressions nerveuses, qu'on appelle le cœur.

Comme passager clandestin dans cette famille, je m'efforçais de donner le moins de signes possible de ma présence. C'était compter sans le diable. Il n'y a en effet que le diable pour avoir eu l'idée de me faire acheter chez un bouquiniste un livre au titre prometteur, *Psychopathia sexualis*, dont l'auteur, le docteur von Krafft-Ebing, portait un nom au lourd parfum de science allemande et de dépravation savante. C'est le diable à n'en pas douter qui me fit écrire mon nom sur la page de garde de cet ouvrage ; le diable enfin qui me fit oublier ce livre bien en vue sur la table basse du salon, comme pour provoquer une foudre qui attendait le moindre prétexte pour tomber.

Ce fut un séisme dont je n'eus qu'un écho assourdi. Dans l'échelle sismique des fureurs paternelles, il atteignit le maximum d'intensité. Désormais, j'étais définitivement exclu de la rue de la Pompe. Comme je n'y avais jamais été accepté, cela ne changeait rien. Je devais seulement redoubler de vigilance en accentuant encore mon inexistence. Décidément, je n'avais pas de chance avec cette bourgeoisie. J'étais bien mal récompensé de mon adhésion sentimentale à ses valeurs désuètes et à ses usages démodés. J'aimais l'ordre, mais, paradoxalement, j'étais épris par-dessus tout de liberté : la source de tous les malentendus.

Le goût du sel

Je regardais la mer. C'est fou ce que j'ai aimé scruter la mer comme si j'allais voir s'y dessiner je ne sais quel horoscope. Encore aujourd'hui, tandis que j'écris ces lignes, elle est devant moi déroulant des vagues écumantes sur une longue plage africaine. À Noirmoutier, assis sur la dune au milieu des oyats, je fixais le grand large à la manière des marins qui, après la sieste, auscultent le ciel pour y lire le temps qu'il fera. Le spectacle des gros nuages blancs qui s'enfuyaient comme des moutons apeurés m'enchantait. Il me suggérait la vastitude du monde et des promesses de voyages. Je humais l'air chargé des senteurs fortes du goémon et du sel.

Mes parents pour d'obscures raisons qui appartiennent au secret des familles m'avaient confié, âgé d'à peine quatre ans, à un couple de pêcheurs qui habitaient une longue maison blanche à l'orée du village, tout près de la mer. Leur bourrine était construite perpendiculairement à la dune pour offrir moins de prise au vent. Un vent puissant qui se gonflait de toutes ses forces dans la traversée de l'océan. Rarement silencieux, il sifflait, grondait, mugissait, faisant grincer la poulie du puits et gémir la charpente.

Jeanne et Japonais menaient une vie rude. Celui-ci tenait ce sobriquet de ses yeux bridés. Jamais je ne l'ai entendu appeler autrement. Ils ne disposaient d'aucune commodité. On faisait sa toilette sur une cuvette avec de l'eau froide tirée du puits au moyen d'un seau cabossé en fer-blanc. Dans la cuisine, un monstre noir rectangulaire servait à tous les usages : la cuisinière en fonte. Tantôt assoupie pendant la nuit, tantôt ardente au réveil, elle avalait goulûment son charbon qu'elle rejetait en cendres et qu'on récupérait pour nettoyer les vitres. Cette cuisinière, outre qu'elle chauffait les deux pièces d'une chaleur douce, maternelle, servait à la cuisson des plats, mais on pouvait tout aussi bien y faire bouillir une marmite dans laquelle les crabes seraient immolés, préparer une soupe d'asperges sauvages, ou faire mijoter dans son ventre, à l'étouffée, des ragoûts. Enfin on employait le four pour chauffer les briques de terre qui, enroulées dans du papier journal, feraient office de bouillottes.

La maison se composait d'une chambre impeccablement rangée, endimanchée avec sa grande armoire solennelle, sa photo de mariage encadrée, où trônait le lit conjugal. Mon lit se trouvait au pied de ce galion impressionnant où le couple de Jeanne et Japonais appareillait pour de longues nuits sonores, des ronflements homériques ponctués par le tic-tac de la grosse horloge. Ces ronflements me donnaient l'impression que le galion se transformait en une locomotive hoquetante, crachant sa vapeur. Très vite, je m'endormais et je rêvais, mais, comme je rêvais aussi pendant la journée, cela ne faisait pas beaucoup de différence.

Ces marins avaient une mentalité différente de celle des

paysans. La fréquentation de la mer, élément instable par excellence, le frottement de leur cervelle à des cervelles étrangères dans les différents ports où ils relâchaient, l'omniprésence du danger leur conféraient la religion de la solidarité, mais aussi je ne sais quelle douce tolérance envers autrui. Pour eux, ni les frontières ni les langues ne signifiaient grand-chose. Les champs, les prés sont bornés et suscitent la convoitise, tandis que la mer ignore les clôtures et ne se laisse pas découper en parcelles enfermées dans un cadastre. Le paysan lègue une terre dont ses enfants se disputeront les acres arides avec une âpreté jalouse. Le marin-pêcheur laisse la mer pour héritage à ses enfants, autant dire l'infini : un domaine qui décourage la spéculation et le procès.

L'église au milieu du village, mal reconstruite après les ravages des Bleus, n'était là que pour donner un peu d'espoir. Elle donnait également l'heure de son gros œil cyclopéen et, grâce à la girouette qui surmontait le clocher, le sens du vent. Ce n'était pas un hasard si cette girouette touchait la croix de la miséricorde : on faisait appel à Dieu pour apaiser les tempêtes. On priait pour que les fils, les frères, les maris réchappent de leur furie. Que de fois j'ai assisté à ces offices quand un navire s'était perdu corps et biens et qu'on n'avait plus pour ressource qu'interjeter appel à l'impitoyable dieu de la mer.

La maison que mes parents avaient achetée avant la guerre, dans laquelle ils s'étaient réfugiés pendant l'Occupation, avait été détruite à la dynamite par les Allemands. Des pêcheurs voisins pour leur venir en aide leur avaient prêté deux grandes pièces désaffectées blanchies à la chaux.

Une fois passé le choc de cet abandon qui m'a laissé

à jamais rêveur sur l'impermanence des sentiments, je m'attachai à Jeanne et à Japonais autant qu'à mes parents. Ne les voyant plus qu'épisodiquement, l'été, ils m'étaient devenus peu à peu étrangers. Mes parents adoptifs n'ayant pas d'enfant, ils reportaient sur moi le trop-plein de leur amour. Leur bonté était infinie. Rien n'était trop beau pour satisfaire mon moindre désir. Ils cédaient à tous mes caprices, me dorlotaient comme s'ils avaient à cœur de réparer le sort injuste qui s'était abattu sur moi et d'effacer la tristesse que je pouvais en ressentir. Même si un fond de mélancolie m'a fait depuis lors regarder la vie à travers un voile sombre, ils parvenaient à me distraire de mon vague à l'âme en enchantant mon existence de mille manières.

La nature pourvoyait à tout. Cette île très belle constituait un théâtre permanent : l'alternance du beau temps et des tempêtes, le retour des pêcheurs qui attachaient des poissons au ventre blanc à leur ceinture, une baleine échouée sur la plage, l'arrivée des marsouins, les longues plages au sable doux et fin qui crissait sous les pieds étaient l'occasion des distractions les plus variées. L'île était également riche de ressources : il suffisait de se baisser à marée basse pour ramasser sur la grève, entre deux rochers, moules, palourdes, bigorneaux, crabes, araignées, ou harponner des soles. Les hautes herbes des marais salants aux alvéoles multicolores abritaient des anguilles retour de la mer des Sargasses, que Japonais pêchait à coups de fouëne. Des pommes de terre au goût sucré – aujourd'hui fameuses –, les asperges, les haricots verts, les salades poussaient généreusement dans un sable auquel on mêlait du goémon en guise d'engrais. Pour se chauffer, on avait recours aux bouzats, des bouses de vache trempées avec de la paille puis séchées au soleil qu'on brûlait dans l'âtre – car le bois était rare –, et qui faisaient un excellent combustible à l'odeur aigrelette. On s'éclairait à la bougie ou à la lampe à pétrole. L'eau était tirée d'un puits profond dont la poulie gémissait.

Le soir, à la veillée, j'allais rejoindre dans une pièce sombre et enfumée à l'extrémité de la maison l'antre de la grand-mère Martin. Cette très vieille femme, tout en noir, coiffée de la traditionnelle quichenotte, me racontait, en faisant cuire sa soupe dans l'âtre sur un trépied, des histoires héritées du passé sanglant de la Vendée où il n'était question que d'exécutions, de viols, de supplices qui me faisaient délicieusement dresser les cheveux sur la tête.

Comment, dans de telles conditions édéniques entre Jeanne et Japonais, la grand-mère Martin, n'aurais-je pas été heureux ? J'étais considéré comme un enfant roi. Le petit Tibétain de quatre ans désigné par les astres pour devenir dalaï-lama n'est pas mieux traité par les bonzes et les moines en robe safran, ni l'objet d'autant de dévotion que je ne l'étais par ces pêcheurs au cœur d'or.

Une question ne cesse de me troubler : que serais-je devenu si j'étais resté parmi eux, si, au bout de quatre années, mes parents ne m'avaient pas ramené à Paris ? Quelle destinée eût été la mienne si j'avais suivi l'enseignement des bonnes sœurs jusqu'au certificat d'études dans leur établissement situé derrière l'église, qui sentait l'eau de Javel et le drap propre ? J'aurais probablement embarqué à bord d'un chalutier ou l'une de ces pinasses à la forte odeur de saumure qui allaient jeter leurs casiers et leurs filets à sardines au large de l'île d'Yeu. Beaucoup de ces bateaux sombraient, comme celui où s'était enrôlé Jean-Louis, mon compagnon de jeux. La mer l'avait englouti à jamais. Souvent, bien plus tard, j'ai vu la mère de ce fils unique devant sa maison, assise sur une chaise en paille, le regard vide, irrémédiablement tourné vers le désespoir qui ne la quittait plus. Quand elle m'apercevait, elle détournait la tête. Elle m'en voulait. Qu'avait-elle à faire de mes apitoiements ? Pourquoi étais-je là et pas son Jean-Louis ? Pourquoi avais-je échappé à ce sacrifice, à cet impôt à payer pour les gens de la mer ?

Jean-Louis demeure mon double secret. Son corps aspiré par les abîmes, déchiqueté par les crustacés, squelette échoué dans les bas-fonds, recouvert de coquillages, quel muet reproche il ne cesse de me faire avec son visage sans yeux et sa chevelure d'algues !

Il est rare que se passe un jour sans que je pense à ces pêcheurs et à leur monde peuplé de souvenirs heureux que seule l'enfance peut produire. Ils ne m'ont pas quitté. Leur présence m'est toujours sensible. Mais ils m'ont rendu boiteux. À cause d'eux, je me suis toujours senti en décalage avec la bourgeoisie dont j'étais issu. Il me semblait que je venais d'ailleurs.

Ce métissage culturel, c'est certainement lui qui m'a fait entrer en sympathie avec Jacques Vergès et avec les gens de sa sorte, déchirés entre plusieurs origines : les déclassés, les bâtards, les renégats, les apostats, les défroqués. Beaucoup plus tard, j'ai retrouvé chez Claude Lévi-Strauss, à un niveau de réflexion supérieure, les symptômes de cet écartèlement dont il a tiré les conclusions comme savant et comme philosophe. Ayant vécu dans deux mondes aux valeurs opposées, il n'appartenait plus à aucun : sa double appartenance au peuple Bororo et au

Collège de France le condamnait intellectuellement à une errance dans laquelle je me retrouvais.

C'est pourquoi je me suis si facilement identifié à Omar Raddad. Il avait beau venir d'une famille de bergers du Moyen Atlas marocain, nous nous comprenions. Une invisible fraternité me rapprochait de lui. Qu'importe si j'étais le seul à la voir.

Le poison du snobisme

Solange me tenait par les sens. Par la jalousie. Et maintenant par un autre poison : le snobisme. Pour moi, c'était une nouveauté. La seule maladie mentale inconnue dans ma famille. On avait des dépressifs, des mélancoliques, des paranoïaques, sûrement des pervers narcissiques, mais on n'avait jamais connu de snobs. Je me laissais docilement inoculer le virus, ravi d'une initiation à des mœurs dont j'ignorais les rites. Le snobisme peut faire des ravages sur les esprits faibles. Comme la psychanalyse, il risque de les entraîner dans une vision exclusive du monde car il ressortit à un grand nombre de disciplines : la généalogie, bien sûr, mais aussi l'Histoire, le jeu d'échecs, la stratégie, la littérature. Comme l'obsédé sexuel, le snob a sa *Weltanschauung*, sa vision du monde qu'il dessine aux couleurs de son obsession. J'étais curieux, curieux de nouveaux visages, de paysages, de pays, de sociétés. Sociologue du dimanche, ethnologue amateur, pourquoi me serais-je braqué a priori contre des mœurs qui, pour exotiques qu'elles fussent pour moi, étaient en usage dans le milieu que je découvrais ? J'avais une excuse – un snob en trouve toujours une pour justifier son coupable penchant –, j'avais une prédisposition mentale favorable héritée de ma fréquentation du romanesque littéraire à l'égard de l'aristocratie. Je piaffais de rencontrer autrement que dans les livres de vraies comtesses de Mortsauf, des duchesses de Langeais, des marquis de La Mole, des Guermantes. Bref, tout le gratin !

Solange se plaisait à exciter mon imagination qu'elle savait inflammable afin d'assurer sa domination sur moi en se prévalant sans cesse de son appartenance à ce milieu copurchic. Elle m'apprit bientôt qu'il existait un milieu encore plus huppé que celui que fréquentaient ses parents. Une caste dont la géographie n'était pas bornée à l'est par le Jockey, à l'ouest par le Polo avec ses bibles poussiéreuses, le Moreri et le Bottin mondain. Celle-ci évoluait entre Rome et New York, Londres et Los Angeles ; une race de quasi-demi-dieux qui voyageaient en jet privé, passaient leurs vacances sur des yachts et ensoleillaient leur vie dans des fêtes perpétuelles. Le milieu d'aristocrates, confinés dans le VIIe et le XVIe arrondissement, que fréquentaient ses parents, économes, parcimonieux, condamnés au bus et au métro, dont les châteaux en ruine prenaient l'eau de tous leurs hectares de toitures, faisait pâle figure en comparaison. Il avait un air étriqué de cousins de province.

Ce monde d'extraterrestres, Solange le désignait ainsi : « Les amis de ma sœur. »

Cette sœur, Anne-Marie, d'une grande beauté, était l'une des reines de Paris. Traînant tous les cœurs après elle, elle venait d'épouser Louis Malle et concentrait sur elle toutes les lumières du talent, de la célébrité et du gotha. Après l'évocation par Solange de ce monde mythique, j'étais mentalement épuisé. Je priais le Ciel pour qu'il n'y eût pas une caste encore plus élevée qui éclipserait celle-ci et me ravalerait encore plus bas dans cette maudite échelle sociale. Solange me rassurait : non, après « les amis de ma sœur », on ne pouvait aller plus haut, c'était le sommet, l'Himalaya social. Et, pour bien m'en convaincre et m'enfermer à jamais dans mon statut de roturier obscur, elle m'assurait que ces êtres d'une essence supérieure, jamais, de ma vie entière, je ne me trouverais sur leur passage.

Cette prophétie sociale, je l'admettais volontiers. Mon bac raté ne me semblait pas un passeport flatteur qui me permît d'aborder au rivage que fréquentaient les heureux du monde.

La Catherine II du bocage

Insondable mystère des hiérarchies sociales ! On aurait beaucoup surpris Madame T. si on lui avait dit qu'elle n'était que de la gnognotte. D'abord elle ne l'aurait pas cru car la première de ses qualités était une indémontable assurance. Le doute ne la traversait pas. Le pouvoir qu'elle détenait et la position sociale qui en découlait lui semblaient aussi fondés que s'ils procédaient du droit divin. Et puis elle avait de l'argent. Beaucoup d'argent. Ce qui incline rarement à la modestie. Certes un argent qui avait une honorabilité discutable – si tant est qu'il y ait des enrichissements sans tache. Même l'argent du Vatican ne sent pas toujours l'eau bénite. Sa fortune, elle la devait en partie à ces œufs, bœufs, fromages qui sous l'Occupation avaient transformé le monde rural en véritable champ pétrolifère. Douairière plantureuse à la poitrine décorative, fastueuse, le chignon impeccable, fermé par une épingle ornée d'une perle, elle parlait haut et sec dans un tremblement de joues, de bajoues et de doubles mentons. Habillée tout de noir, le cou enserré dans une collerette de broderies blanc amidonné, elle trônait dans une grande maison de maître sans charme, sise sur la place du village de C., en Vendée, et régnait sur une bonne trentaine de métairies des environs, leurs bêtes, leurs champs, leurs lapins, leurs rivières, leurs pêcheries, d'une main que le doute n'avait jamais fait trembler. Courtoise mais froide, on sentait en elle la majesté que confère l'argent, un pouvoir despotique exercé sans frein sur des fermiers et des vachers apeurés. C'était une Catherine II du bocage : la moitié de l'étang de Grand-Lieu lui appartenait – c'est l'étang le plus grand de France.

Pieuse, Madame T., en chapeau, assistait à la messe tous les dimanches au premier rang. Elle regardait le prêtre comme le garde champêtre spirituel de ses métayers. L'obole du denier du culte ne lui paraissait pas inutile si les principes religieux, à coups de confessions et de sermons qu'on assénait sur leurs caboches têtues, pouvaient leur ôter la manie du braconnage et, chez les femmes, d'impudents désirs de larcins. Religion toute positive qui, comme un cadenas moral supplémentaire, permettait de conserver hors de toute convoitise broches et petites cuillères en argent. Quant à elle, si elle était chrétienne par le baptême, elle était avant tout propriétaire, possédante, sans que les mille et un prêches du curé, l'Évangile, les principes de miséricorde aient pu entamer d'un pouce son orgueil d'être riche, ni amollir le mépris qu'elle vouait à ceux qui n'étaient rien, qui dépendaient d'elle, de son pouvoir autocrate, et qu'elle plaçait au rang des choses.

Recevant avec une politesse cérémonieuse, ne supportant pas la contradiction sur les sujets de sa compétence, elle tenait sa maison comme le reste, avec fermeté. Les meubles, les parquets astiqués luisaient. On ne lésinait pas sur la cire, sur la brosse, encore moins sur l'huile de coude. Tout était propre, impeccable et ennuyeux dans ce décor qui ne visait exclusivement qu'à donner une impression d'honorabilité. Quelques gros meubles rustiques voisinaient avec des buffets, des canapés, des fauteuils de style Henri III recouverts de chintz, tout cela acheté à grand prix chez Decré, le grand magasin chic de Nantes.

Dans la salle à manger, on servait des plats à l'infini comme autrefois, à l'époque où on restait quatre heures à table, la serviette nouée au col, jusqu'à l'indigestion ou l'apoplexie. Poissons, viandes, rôts, entremets se succédaient. Avec le coup de grâce, les digestifs, le frontignan, les alcools de derrière les fagots.

Dans une grande bibliothèque vitrée de style Napoléon III s'alignaient les œuvres complètes de Pierre Benoit, Max du Veuzit, Daphné Du Maurier, Georges Duhamel. Il s'y mêlait des ouvrages pieusement reliés concernant des choses plus sérieuses : le droit de fermage, les fièvres bovines, le mildiou. Le tout était fermé à double tour par une clé qui allait rejoindre l'abondant trousseau qu'elle ne quittait pas de l'œil. Sait-on jamais. Ces romans à l'eau de rose et au sirop d'orgeat auraient pu amollir l'esprit des bonnes, les faire rêvasser, inciter à la nonchalance des bras voués à la besogne exclusive du lavage, du repassage et de l'astiquage ! Ces lectures risquaient de donner de mauvaises idées aux enfants, aux garçons surtout : le désir de monter à Paris, d'y connaître des femmes, de se livrer à la débauche, au jeu, à toutes ces dépravations qui, ajoutées aux maladies vénériennes, pouvaient les rendre impropres à assumer leur austère devoir de propriétaire terrien.

Dans la demi-pénombre et la lumière de ses cuivres astiqués, Madame T. ressemblait à ces matrones qu'on aperçoit dans les tableaux de Vermeer, femmes de bourgmestre ou de bailli comptant d'un air méticuleux leurs pièces d'or dans la paix harmonieuse du commerce prospère.

Le cœur gros et dur qui battait sous son énorme poitrine était loin d'être en paix. La sagesse n'était qu'une apparence trompeuse. Les passions la dévoraient. Veuve, elle avait connu un grand bonheur, celui d'avoir un fils, mais, très vite, un grand malheur : celui d'avoir une belle-fille. D'autant que ce fils, elle l'avait perdu et que cette bru lui demeurait comme une épine dans sa chair, ce de manière d'autant plus cruelle qu'elle était la mère de sa petite-fille sur laquelle elle reportait toute la passion qu'elle vouait au fils disparu. Quand le nom de sa bru apparaissait dans la conversation, son œil d'un bleu profond se fonçait comme la mer sous l'orage. On y voyait passer des lueurs de crime, de vengeance. Des sentiments de vindicte cuits et recuits filtraient dans l'alambic de son âme dépourvue de compassion, l'assaillaient, la hantaient, l'obsédaient. C'était une haine pure, totale, absolue, comme l'était son amour pour sa petite-fille, tout aussi primaire, aveugle, irréfléchi. Hors ces deux sentiments opposés qui tyrannisaient son cœur, le reste, loin de lui être indifférent, n'était qu'intérêts, calculs, tractations, manœuvres pour étendre son empire dans le bocage.

Cette bourgeoisie terrienne différait évidemment beaucoup, autant dans son essence que dans son existence, de tout ce que j'avais connu dans ma famille. Je l'observais avec curiosité comme un nouvel exemple de la diversité sociale. J'avais l'impression de pénétrer dans un roman de Mauriac. Mon grand-père ne partageait pas mon intérêt, moins ethnologique que simplement humain. Car, à sa manière, lui aussi était snob. Je me souviens de son arrivée dans cette maison à l'occasion d'un mariage familial qu'il désapprouvait : l'air bougon, juché sur ses préjugés, insupportable de morgue, il voulait manifester sa désapprobation d'ancêtre. Son mécontentement tenait autant à son sentiment de mésalliance qu'à sa rage de trouver ici le public le moins disposé qui soit à savourer la richesse de sa personnalité : il sentait à juste titre que ses anecdotes sur Degas, sur Renoir, ses morceaux de bravoure sur la galerie des Offices, l'église des Gesuati à Venise, tout cela, ici, ferait chou blanc. Aussi, lui qui était habitué à voir s'étaler sur les tentures les œuvres d'art les plus belles, regardait-il les murs avec commisération. Ceux-ci auraient pu se contenter d'être nus, d'une sobriété monastique, d'une rustique modestie, mais non, ils étaient couverts de cadres contenant des photos qui mettaient en valeur les responsables de la richesse familiale : non pas les grands-parents, aïeuls d'ailleurs étrangement absents, mais celles d'un bœuf charolais primé, tout en muscles, en cuisses, en rumsteck, d'une vache laitière aux tétons prometteurs, enrubannée de médailles, de truies, de cochons apoplectiques, d'énormes taureaux à l'œil mauvais, le nez traversé d'un anneau et qui arboraient des organes reproducteurs impressionnants. Des dates, des noms de races gravés sur le cadre attestaient les sangs non mêlés de ce gotha de bovidés et de porcidés.

Mon grand-père jetait sur ces exhibitions de comices agricoles un regard d'un insondable mépris. Il s'enfermait dans un mutisme souverain, arguant de sa surdité pour se soustraire à la conversation. Il s'évadait discrètement de ce public de parents et d'alliés habillés sur leur trente et un : avoués, vétérinaires replets avec leurs épouses fraîchement oxygénées, autant de paires d'yeux qui n'avaient jamais été éclairés par le spectacle des paysages de Corot, de Claude Gellée ou du Primatice, d'oreilles dont les suaves sonorités des noms de Fragonard, Piero della Francesca, le Bernin n'avaient jamais dégrossi l'épais tympan.

Les myriades d'apéritifs, de digestifs multicolores dans leurs carafes de baccarat, les escouades de verres à liqueur l'enveloppaient dans une brume rêveuse, l'oreille morte. Enfermé dans son acariâtre surdité, ne lui parvenaient que les échos atténués d'une conversation pleine de provincialismes, de minuscules et insipides papotages, de banalités énoncées de manière endimanchée, la bouche en cul-de-poule, le petit doigt levé. Il enrageait. Son vieil instinct de séduction au repos, car dans ce milieu si défavorisé par l'art la nature revêche ne lui offrait même pas un de ces jolis minois, une jeune fille gracieuse, une de ces jeunes paysannes accortes, de ces Louison, Manon ou Suzon des pastorales de Watteau. Seulement, sur les murs, impavides, arrogants, ces vaches et ces taureaux enrubannés, décorés, la mamelle arrogante, l'organe reproducteur en sautoir, qui le fixaient et le narguaient.

Le cœur de cette maison si chaleureuse et accueillante, au fond, quand on ne la regardait pas avec la prétention de mon grand-père, c'était un meuble énorme dissimulé derrière une tenture dans la bibliothèque : le coffre-fort. Brillant de serrures, pétant de blindage, on l'ouvrait pour y

ranger l'argenterie et ses entrailles révélaient un salmigon-
dis d'objets plus précieux les uns que les autres : contrats
de fermage, dettes impayées se mêlaient à des bons du
Trésor, à quelques lettres anonymes ou de chantage, à des
correspondances illicites dont on pouvait faire un intéressant usage procédurier, à des bijoux et, qui sait peut-être,
à des fioles qui contenaient encore un peu, éventé certes,
mais toujours vert, le sperme de quelques taureaux primés
ou de quelques gorets à la saillie miraculeuse.

Madame T., sauf séisme social, révolution ou autres
bouleversements, n'avait aucune chance de se retrouver
un jour en face du père de Solange, encore moins en
présence des « amis de ma sœur ». Un monde qui ne
l'aurait nullement impressionné mais qu'elle n'aurait pas
souhaité fréquenter : il lui aurait paru trop parisien, trop
frelaté, de mœurs trop relâchées, sentant la boîte de nuit,
le whisky, la dépense inconsidérée, toutes ces plaies qui
font la ruine et le malheur des respectables familles de la
province. De monde, elle ne fréquentait que le sien et
c'était sa force. Seul le préfet admis chez elle lui apportait un peu de l'air de Paris. Elle se sentait d'égale à égal
avec mon grand-père qui pourtant employait tous les
moyens pour marquer sa supériorité. Une supériorité
qu'il tirait de sa familiarité avec la seule véritable aristocratie à ses yeux, les peintres de l'impressionnisme, qu'il
n'eût pas craint de manifester devant le père de Solange,
tout imbu qu'il était de sa fréquentation des duchesses.
Au fond, chacun d'eux vivait ancré dans la confortable
conviction que son milieu représentait ce qu'il y avait de
mieux. Il regardait celui des autres avec condescendance. Ce qui, dans un très petit espace et dans un temps
réduit, n'est rien d'autre que l'histoire du monde.

Je me sentais étranger à ce duel des supériorités. Certes, elles existent, mais elles m'ont toujours paru plus attachées à des êtres qu'au milieu dont ils sont issus. Socialement, je me sentais l'âme bohémienne. Je n'avais aucune envie de rester accroché comme une huître au rocher où le hasard m'avait fait naître et à le parer d'illusoires prérogatives. J'étais affamé de gens différents. Je voulais m'approprier la vie dans toute sa variété, connaître des riches et des pauvres, des puissants et des faibles, des vainqueurs et des vaincus. Je détestais les barrières, le fil de fer barbelé, les clôtures, les ghettos.

C'est pourquoi l'amour me paraissait le meilleur antidote à ce penchant irrésistible à la ségrégation. J'aimais Solange qui m'aimait ; et sa mère qui m'aimait aussi ; et son père qui ne m'aimait pas. J'aimais mon grand-père si arrogant et au fond si peu sûr de lui ; j'aimais Jeanne et Japonais, et aussi mes vrais parents. Mais, par-dessus tout, j'aimais la littérature. En elle s'abolissaient les distinctions, les castes, les origines, les frontières. Bien sûr, les écrivains avaient pu connaître des humiliations sociales, certains n'être exempts ni de morgue ni de snobisme, mais le message qu'ils transmettaient les élevait au-dessus d'eux-mêmes. C'est ce territoire que je rêvais désespérément d'atteindre.

À *nouveau trompé*

Solange revint vite à son péché mignon : me tromper. Obscurément, je m'y attendais. Le monde se peuplait soudain d'êtres hostiles et de menaces. Finis la quiétude, le repos de l'esprit, la douceur d'une affection partagée. Je ne m'appartenais plus. J'étais livré aux angoisses et aux doutes qui se déchaînaient dès lors que la fragile protection de la confiance m'était ôtée. C'était d'abord une atmosphère lourde, tendue, électrique, comme celle qui précède l'orage. Des indices apparaissaient, légers au début, puis ils s'accumulaient, épars mais vite concordants. Venaient les explications contradictoires, les discours embarrassés, enfin les dénégations. J'étais devenu expert dans la chasse aux mensonges de Solange. Je la poussais dans ses retranchements et, en la harcelant de questions de plus en plus précises, je l'enfermais dans un piège dont elle ne pouvait plus sortir. Elle niait une dernière fois mais, ne pouvant supporter le poids de son mensonge, elle avouait. Puis elle pleurait. Et ses larmes gâchaient la satisfaction que j'avais d'avoir découvert la vérité. Elle me décourageait de poursuivre mon interrogatoire. D'autant que sa tristesse réveillait ma pitié. Car ses trahisons, à aucun moment je ne les imputais à une diminution de son amour pour moi. Elle ne me trompait que pour restaurer sa confiance en elle-même. Pour s'aimer elle-même et devenir digne de mon amour. Et tout cela, je le comprenais cruellement. Mais j'avais beau compatir aux raisons qui l'amenaient à me tromper, cela ne m'empêchait nullement de souffrir.

Je mis plusieurs semaines à découvrir qu'un nouvel amant était entré dans sa vie.

C'était toujours elle qui m'apportait le premier indice. Elle me parlait d'une soirée à Neuilly qui s'était terminée tard et avait été particulièrement arrosée. Je lui demandai qui l'avait raccompagnée chez elle. Elle me répondit, l'air dégagé, sans me regarder :

— Oh, un garçon très gentil.

— Comment s'appelle-t-il ?

— Qu'importe, tu ne le connais pas.

— Comment est-il ?

— C'est un grand roux aux yeux bleus. Un assez beau garçon.

Aussitôt surgit l'image du jeune homme avec lequel je l'avais vue en conversation lors de la soirée de la rue Spontini. Un certain Léopold qu'on appelait Léo. La jalousie met toujours ses fiches à jour.

— Tu le connaissais ?

— Non.

— Tu ne l'avais jamais rencontré ?

— Jamais.

Désormais, certain qu'elle me mentait, j'étais sur la bonne voie.

— En te raccompagnant, il n'a pas essayé de profiter de la situation ?

La confusion se lisait dans ses yeux. Elle hésitait.

— Mais non. Pourquoi?

— Il n'a pas essayé de t'embrasser?

Son amour-propre fut plus fort que son désir de se dérober à mes soupçons.

— Bien sûr, il a tenté. Mais je ne me suis pas laissé faire.

— Il a insisté?

— Non. C'est un garçon bien élevé.

— Et il a pris ton numéro de téléphone?

— Ce n'est pas parce qu'on donne son numéro de téléphone à quelqu'un qu'on est obligée de coucher avec lui. Tu es vraiment vieux jeu.

— Alors rien ne nous empêche de dîner tous les trois ensemble puisqu'il n'y a rien d'ambigu entre vous.

Ses yeux se brouillèrent. J'y lisais une lueur d'affolement.

— Oh, non! Il ne te plairait pas du tout.

— Pourquoi me déplairait-il?

— Il prépare HEC.

— Je n'ai rien contre HEC.

— De toute façon, je n'ai aucune envie de le revoir. Je n'aime pas les roux.

Pourtant, avec quelle faim de vérité, une faim rouge aussi déraisonnable que la démence, je me mettais en chasse. J'avais beau savoir que cette quête ne me mènerait à rien puisque, fataliste, j'acceptais le caractère inéluctable de cette nouvelle aventure, il me fallait savoir à tout prix si ce grand roux aux yeux bleus était bien Léo; découvrir où il habitait, quelle voiture il possédait et préparer le piège où Solange ne manquerait pas de se laisser prendre.

Ce n'était pas difficile. Il me suffisait de profiter d'un moment où Solange me laissait seul en tête à tête avec son sac Hermès, ce Kelly que toutes les jeunes filles de son milieu possédaient à cette époque, de dénicher entre un poudrier et une brosse à cheveux son agenda, de l'ouvrir avec une fébrilité d'espion pour découvrir ce que je cherchais. Le nom, l'adresse, le numéro de téléphone s'inscrivaient en toutes lettres. Ce qui me fit le plus mal, ce fut de lire des chiffres dont la signification ne m'apparut pas alors, dans l'affolement de ma découverte, mais dont je saisis le sens quelque temps plus tard, après avoir tout remis en ordre : la date de l'anniversaire de Léo, qui faisait entrevoir entre eux une grande intimité. Cela surtout me désola. D'autant que j'avais remarqué dans sa chambre un paquet qui ne laissait aucun doute. Quand je l'interrogeai, elle me répondit que c'était le cadeau qu'elle voulait offrir à son frère.

Voilà, j'étais trompé. La vie se rétrécissait. J'avais beau me raisonner, aucun argument n'avait le pouvoir de me sortir de mon abattement. Que d'images folles me traversaient ! Je soupçonnais Solange de connaître avec Léo des jeux pervers. Que m'importait d'être le préféré dans l'ordre des sentiments si, dans le domaine de la chair, elle connaissait avec lui des voluptés que je ne pouvais lui procurer ! Dans ces hiérarchies ténébreuses, j'étais prêt à abandonner mon avantage sentimental pour des performances dans le plaisir.

Solange, qui comprenait tout de manière instinctive, comprenait aussi cela. Tandis qu'elle revenait prendre son sac dont elle ignorait que le contenu m'avait bouleversé, elle me demandait :

— Tu es triste ?

Je niai. Je n'avais aucune envie d'entrer dans une querelle avec elle. Ce dont j'avais besoin, c'était de la certitude que je lui étais nécessaire. Je voulais qu'elle n'ait pas d'autre désir que celui d'être avec moi.

— Est-ce que je te vois ce soir ?

À son air gêné, je compris qu'elle avait rendez-vous avec Léo.

— Non, pas ce soir, j'ai un dîner. Un dîner très ennuyeux. Un anniversaire.

— Avec qui ?

— Avec mes cousins.

— Et ce cadeau ? C'est pour tes cousins ?

Elle avait oublié le prétexte de l'anniversaire de son frère qu'elle ne pouvait alléguer puisqu'elle m'avait dit qu'il était en voyage.

— Quelle importance !

Elle me prit dans ses bras et m'embrassa, comme si ce geste valait toutes les explications et devait me consoler de tout.

Je tentai de l'entraîner vers son lit.

— Non, pas aujourd'hui. Je préfère demain.

Aussitôt la machine infernale de mon imagination se mit en marche : j'étais certain que, si elle ne voulait pas faire l'amour avec moi, c'était pour garder intactes ses forces dans le plaisir pour Léo.

J'insistai. Plus les images de sa future soirée avec un autre m'assaillaient et plus j'avais besoin de son corps, seule preuve tangible de son amour. Elle tentait de se dégager, mais, finalement, elle céda. Peut-être espérait-elle ainsi diminuer sa culpabilité de me refuser ce que, dans quelques heures, elle accorderait à un autre que, probablement, elle n'aimait pas.

Quelle triste volupté je tirais de cet acte dépourvu de tendresse et traversé de visions hideuses ! Je l'imaginais dans les bras de Léo, abandonnée à lui. C'était pour chasser ces images que je faisais l'amour avec elle, mais celles-ci n'en devenaient que plus obsédantes. Son parfum que je respirais, c'était le même que, le soir même, Léo respirerait dans ses bras.

— Tu m'as complètement décoiffée, me dit-elle avec cette frivolité des femmes qu'aucun désespoir ne peut troubler, surtout quand il risque de déranger leur toilette à quelques heures d'un dîner.

La nuit blanche et noire

C'était une soirée en smoking. Ce qui ne veut rien dire.
Sous une apparence uniforme, les invités étaient on ne
peut plus bigarrés. Certains appartenaient à des familles
royales européennes dont le trône avait été malmené par
l'Histoire : ils portaient des noms de pays comme un costume trop grand pour eux ; d'autres avaient des origines
plus lointaines et parfois plus incertaines. Sauf quelques
princesses arabes aux yeux de biche, on apercevait surtout des dames fortes, boudinées dans des robes de haute
couture, des Orientaux à la peau luisante et aux cheveux
gominés accompagnés de ravissantes épouses en sari,
parfumées de santal. S'y mêlaient quelques chevaliers
d'industrie qui avaient fait rapidement fortune dans des
commerces dangereux, des actrices autrefois célèbres
qui résistaient à la malédiction du temps qui passe et
même une ancienne impératrice, désenchantée, égarée
dans un monde qu'elle ne reconnaissait plus et qui semblait chercher des yeux dans le lointain son empire disparu. Si on ajoutait quelques mannequins, immenses
créatures qui se déplaçaient avec précaution comme des
hérons, quelques belles filles à la profession indécise, on

était en présence de ce qu'on appelle avec un brin de condescendance une soirée mélangée. *Mélangée* pour la distinguer de ces fêtes socialement homogènes, composées de gens qui ne veulent pas courir le risque de fréquenter un monde autre que le leur, ni celui de faire des rencontres inattendues.

Le dîner présentait un intérêt variable selon les voisins qu'un placement de table aléatoire vous destinait. Pour moi, ce soir-là, mauvaise pioche, l'intérêt était proche de zéro. Sur la scène, pour distraire les convives, un animateur distribuait des prix d'élégance. Les heureux élus montaient sur la scène, arborant un sourire ravi. On les applaudissait. Et la soirée s'acheva.

Chacun se leva de table en même temps, ce qui provoqua une grande cohue. Je me heurtai à une vieille connaissance en conversation avec une impressionnante fille à la peau d'ébène, vêtue d'un fourreau rouge qui lui découvrait les épaules et le dos. On nous présenta. Un mouvement de foule nous sépara avant de nous réunir à nouveau.

La belle inconnue semblait perdue. Sans doute se sentait-elle égarée, loin des podiums, des admirateurs, des bravos. La lueur de tristesse qu'exprimaient ses yeux contrastait avec son allure triomphante, sa beauté sculpturale, sa taille démesurée. Je l'observais avec un mélange de stupeur et de crainte, comme un phénomène, un être venu d'ailleurs. En dépit de sa beauté, elle ne suscitait pas le désir. De plus, j'avais du mal à trouver quelque chose à lui dire. Heureusement, le brouhaha et la musique m'en dispensaient.

Soudain, tout à trac, elle me demanda si je voulais l'accompagner dans une boîte de nuit où elle devait retrouver des amis. Elle ne voulait pas s'y rendre seule, ce qui était compréhensible.

Il était difficile de ne pas accepter. Je me dis que c'était là l'avantage des soirées mélangées, on y faisait des rencontres peu banales. Dans la rue, elle glissa son long corps dans une minuscule voiture noire. Il avait plu. Les trottoirs étaient sombres et brillants. Je ne pouvais m'empêcher de les trouver en harmonie avec la peau noire de ma nouvelle compagne. Nous fîmes plus amplement connaissance : elle avait un nom étrange, Kabila. Originaire de Madagascar, elle était la fille d'un grand négociant, originaire du Cameroun, et d'une Vietnamienne, ce qui expliquait ses yeux légèrement bridés. Son exotisme et sa beauté avaient conquis un grand couturier qui en avait fait son mannequin vedette.

Arrivée dans la boîte de nuit, elle chercha ses amis. En vain. Nous nous installâmes à une table. Une musique tonitruante se déversait sur nous, coupant tout espoir de conversation. Je l'invitai à danser. Elle me dépassait d'une tête. J'éprouvais une sensation étrange en serrant contre moi cette longue et étonnante jeune femme avec laquelle je ne pouvais nouer la moindre connivence. Elle était aussi froide et lointaine qu'une statue de marbre noir.

Comme décidément ses amis ne se manifestaient pas et qu'il commençait à se faire tard, nous quittâmes la boîte de nuit. La pluie recommençait à tomber. Nous nous réfugiâmes dans sa voiture. Elle ne la fit pas démarrer et demeura pensive, fixant le boulevard scintillant de lumières à travers le pare-brise. Pour échapper au silence et ne sachant pas trop quoi lui dire, je lui pris la main.

Une main gracieuse et effilée qu'elle m'abandonna. Puis le silence se fit à nouveau entre nous. Nous regardions la pluie qui tombait et résonnait sur la carrosserie.

Moins mû par le désir que par l'envie d'émouvoir la statue, je tentai de l'embrasser. Elle se déroba. Ce fut à nouveau le silence. Je tenais toujours sa main dans la mienne. La pluie redoublait. Je fis une nouvelle tentative. Cette fois, elle répondit à mon étreinte. Avec fougue. Ses lèvres avaient un goût de tabac et de miel. Je glissai la main dans l'échancrure de son fourreau et je caressai son dos : sa peau avait une douceur irréelle. Nous demeurions douillettement enfermés dans notre petite île chaude, devant le pare-brise qui se couvrait de buée, incertains du tour qu'allait prendre la fin de la nuit. Les gouttelettes qui tombaient d'une gouttière sur un auvent métallique semblaient marquer les secondes comme un sablier. Le temps passait.

Pour sortir de cette situation indécise, je lui proposai de venir finir la nuit chez moi. Elle se cabra, comme si je lui faisais une proposition indécente. Je lui suggérai d'aller chez elle. Même refus. Sa résistance piqua mon amour-propre. J'insistai. Commencèrent alors des palabres oiseux aussi longs, hypocrites, cauteleux que des négociations autour d'un tapis dans le bazar de Constantinople. Quels efforts, quel talent dialectique je déployais pour transformer son refus en acquiescement ! Quel argument était-il susceptible d'emporter sa décision ? Je les employais tous. Elle les écoutait sans manifester la moindre réaction. Toujours la statue. Quand le plateau de la balance semblait pencher en ma faveur, elle se reprenait aussitôt. Mais, au lieu de mettre fin à cette interminable pariade, elle semblait y prendre goût et me laissait poursuivre mes assiduités. Il n'est jamais facile de comprendre ce qui décide une femme à passer la frontière mystérieuse qui sépare le refus de l'abandon. Savait-elle elle-même ce qu'elle désirait ? À quelle ultime épreuve voulait-elle me soumettre avant de se décider ? Comme dans les négociations au cours des marathons de Bruxelles, j'avais affaire à un autre redoutable adversaire : le temps. La nuit était largement entamée. Un brouillard de fatigue embrumait mon cerveau. Allais-je abandonner la partie ? Au moment où je montrais des signes de lassitude, elle sembla sortir de sa torpeur.

— Allons chez vous !

Si je n'avais pas été aussi épuisé, ce succès conquis de si haute lutte m'aurait certainement réjoui. Mais je sentais mes yeux se fermer. Une douce lassitude me pénétrait. La voiture démarra enfin. Elle fit un bond et traversa à toute allure un Paris désert aux rues luisantes. L'averse avait cessé. Les lumières des réverbères se reflétaient sur la chaussée. Dans le fond du ciel, une légère décoloration annonçait le jour. Comme je m'étonnais qu'elle ne prît pas la direction où je souhaitais la conduire, elle me dit qu'elle devait d'abord passer chez elle. J'acquiesçai. Ce n'était pas le moment de la contrarier. Une agréable hébétude m'engourdissait. Je préférais ne pas parler afin de ne pas détruire par un mot maladroit une résolution si patiemment obtenue.

La voiture arriva à Neuilly, boulevard Maurice-Barrès. Ma bizarre compagne gara sa voiture sous les arbres et me demanda de l'attendre. Combien de temps partit-elle ? Assez longtemps pour que l'engourdissement annonciateur de sommeil me gagne. Je commençais à m'assoupir quand elle revint enfin. Je me ressaisis. L'air froid de la nuit à l'odeur de feuilles flétries et de terre humide qui pénétrait par la portière qu'elle venait d'ouvrir me ragaillardit.

Avant de démarrer, elle me dit :

— Je vous préviens : ce sera en tout bien tout honneur.

Anesthésié par la fatigue, je n'émis pas de protestation. Je n'en avais plus le courage. La voiture fila à nouveau dans le bois de Boulogne, puis vers l'avenue de la Grande-Armée pour rejoindre les quais, la Concorde et le grand canyon haussmannien du boulevard Saint-Germain. Il y avait très peu de voitures dans les rues. Seuls des camions de livraison avançaient avec lenteur, leurs lanternes encore allumées bien qu'il ne restât plus que quelques vestiges de la nuit.

Enfin, nous fûmes chez moi. La clé dans la serrure me parut presque un miracle. Tant d'événements pour en arriver là ! Nous nous déshabillâmes prestement pour gagner un lit que j'avais bien mérité. Elle me répéta :

— En tout bien tout honneur, n'oubliez pas !

Je ne répondis pas. Je retrouvai avec volupté la fraîcheur des draps et je cherchai le contact avec elle, avec sa peau soyeuse. Était-ce le désir qui m'animait encore ? J'étais partagé entre l'attrait irrésistible vers le sommeil et la curiosité pour ce corps si patiemment convoité. Devais-je renoncer si près du but ? Dans un dernier sursaut, je tentai de l'étreindre. Elle me repoussa :

— Vous m'avez dit…

L'agacement autant que la fatigue commençaient à avoir raison de moi. Je m'apprêtais à me rencogner dans les draps, abandonnant cette créature à son absurde comportement. Ce fut elle qui, reprenant l'initiative, se rapprocha. Elle se lova contre moi. Puis, avec un parfait naturel, elle prit ma tête entre ses longues mains et, avec fermeté, la guida entre ses cuisses. Mes lèvres s'écorchèrent sur son sexe. Semblable à ces fruits exotiques à l'écorce rude et à la pulpe savoureuse, il semblait hérissé de petites épines qui protégeaient une conque moelleuse au goût salé. Il exhalait une odeur de savane et de pain cuit. La statue alors s'anima. Son corps se tendit dans un spasme tandis qu'elle poussait des plaintes rauques. Ce déchaînement imprévu avait quelque chose d'inquiétant. Une lumière crue envahissait la chambre : il faisait grand jour. La fatigue me fermait les yeux. Peut-être l'heure était-elle venue de conclure. Je me glissai dans son long corps soyeux. L'instant de la jouissance fut celui où, exactement, je sombrai dans le sommeil.

L'infidélité dans le sang

Dans le supplice de la jalousie, je croyais avoir touché le fond de la souffrance. J'avais tort : on ne l'atteint jamais. Solange m'annonça qu'elle partait skier à Klosters. Tout dans ce séjour excitait mes soupçons : ses explications confuses, l'absence de téléphone dans le chalet, les prétendus cousins chez lesquels elle était invitée. Même les marques de tendresse qu'elle me prodiguait, elles aussi devenaient suspectes. Savoir qu'elle partait pour un pays étranger accroissait mon angoisse. Cette pauvre Suisse inoffensive et fade se muait en une terre brûlante de dépravation.

Je ne doutais pas que Solange allait retrouver son amant. Mais la torture que j'éprouvais en sachant qu'elle me trompait épisodiquement avec Léo me paraissait presque bénigne en comparaison de celle qui me ravageait en pensant qu'elle allait passer une semaine avec lui. Une semaine à skier au soleil, à déjeuner dans de petits restaurants d'alpages où le vin blanc vous met la folie en tête ; et ces retours fourbus, le ski sur l'épaule vers la chambre où le lit, avec sa couverture de fourrure, se fait si accueillant à l'amour ; ces heures vides, si propices à la volupté, qui précèdent le dîner lorsque cesse le bruit des remonte-pentes et que s'installe une étrange paix sur les pistes tandis que les derniers rayons du soleil font fondre la neige sur la balustrade du balcon ; les dîners en tête à tête devant un feu de bois, la nuit encore et ces matins où l'on se réveille dans les bras l'un de l'autre.

Jamais je n'ai été aussi présent dans une station de sports d'hiver que dans cette infernale Klosters où je n'ai pourtant jamais mis les pieds. Je voyais les traîneaux attelés à des poneys à long poil avec leurs clochettes, leur odeur de crottin, la couverture de fourrure, le postillon en tenue tyrolienne. J'étais dans la chambre qu'ils partageaient ; j'étais entre eux tandis qu'ils s'étreignaient, heureux de voir s'ouvrir de si vastes espaces pour le plaisir.

Solange partie depuis trois jours, je n'y tins plus. Tourmenté par le souci de vérification qu'inspire la jalousie, croyant calmer par des faits assurés le délire de mon imagination, je téléphonai au domicile de Léo. Comme le cœur me battait en composant son numéro puis en entendant la sonnerie. Quelle ne fut pas ma surprise de reconnaître sa voix au bout du fil ! Il n'était donc pas parti pour Klosters. Solange n'était pas avec lui. Mais, alors, avec qui ?

Je raccrochai, dévasté. Inquiet. Le lendemain, le pire m'attendait. Je rencontrai une amie qui, toujours bien intentionnée, m'éclaira :

— Il paraît que vous n'êtes plus ensemble. Tu as eu raison de la quitter. Elle est au mieux avec un Espagnol. Elle est partie avec lui pour Klosters.

Un Espagnol ! Il me fallut faire un effort pour ne pas m'effondrer sous le choc. Dès lors, je dus reparcourir le long chemin de souffrance que j'avais emprunté quelques jours plus tôt en échangeant le visage de Léo pour celui de ce nouvel amant inconnu en m'épuisant à imaginer les charmes de ce rival.

Dans ma bassesse qui n'était que le désir de me ménager et d'atténuer ma souffrance par quelque expédient que ce fût, j'eus cette lâche pensée : je me mis à regretter qu'elle ne fût pas partie avec Léo.

Un Mazarin en espadrilles

Lui aussi avait souffert. Mais ce n'est pas l'image qu'il donnait : celle d'un allègre cynique, d'un roublard au regard malicieux, jouisseur autant qu'un homme peut l'être, car il cultivait l'art de jouir par toutes les ressources que la vie peut apporter à une nature sensuelle et à un esprit esthète. Il jouissait surtout de la beauté, mais la laideur ne le laissait pas indifférent. Il trouvait en elle l'odeur épicée de ce ragoût humain pour lequel il avait, à la manière de Balzac, beaucoup de curiosité et d'indulgence. Il aimait l'art par-dessus tout, l'argent qui procure de l'art et des femmes, mais aussi l'art qui donne de l'argent. Mais aussi la belle société qui permet à l'art de s'épanouir et aux femmes d'être élégantes. Il aimait ses amis pour partager ses plaisirs ; en fait, il aimait tout, les aristocrates, les banquiers, les jeunes arrivistes qui lui rappelaient sa jeunesse, les monstres sacrés de l'art, les peintres dans la dèche et même les bandits avec lesquels il se sentait des connivences secrètes. Mais il pouvait être ému par une vieille fille de province dans sa demeure délabrée qui refusait de se défaire d'une Vierge gothique. Il se méfiait surtout du faux, dans l'art et dans la vie, pas des faussaires qui lui paraissaient éminemment sympathiques. Aussi fuyait-il les fâcheux, les gens ennuyeux, les professeurs de morale, les pédants, les doctes, les sentencieux. Lui qui avait connu la prison sous l'Occupation avait en horreur toutes les formes de prison : et la morale peut en être une. C'est pourquoi il ne s'imposait aucune barrière, ne se sentait lié par aucun préjugé. Il mettait même une certaine coquetterie à fréquenter et à aimer, lui le juif résistant et gaulliste, d'anciens vichyssois comme Paul Morand et même Pétain qui avait été l'ami de son père. C'est qu'ainsi il éprouvait une autre jouissance aussi puissante que celle qu'il tirait de sa passion pour l'art : le sentiment de sa liberté.

Il aurait haussé les épaules si on lui avait parlé de sa bonté, une vertu qu'il devait juger mièvre, un peu humide, que, pour rien au monde, il se serait donné le ridicule de revendiquer – et bon, il ne l'était pas –, pourtant, il vous entourait de ses bienfaits qu'il dispensait avec une affectueuse sollicitude autant que s'il avait été réellement bon. Ce Mazarin juif qui aimait l'art aussi passionnément et follement que le cardinal aimait l'État, les plaisirs et l'accumulation des chefs-d'œuvre, c'était Maurice Rheims.

Il examinait passionnément les êtres comme les objets : il les prisait avec un réflexe d'expert. Il savait que, pour les hommes comme pour les meubles et les tableaux, beaucoup d'éléments entrent dans l'estimation de leur valeur : la qualité, les origines, la rareté, l'originalité. Il les observait en s'efforçant de les situer dans l'immense collection d'individualités qu'il avait recueillies au cours de son existence aventureuse. Mais les objets avaient une âme, ce que n'avaient pas toujours les hommes. Une âme qui tenait à leur passé, aux personnes qui les avaient détenus par les moyens les plus extravagants : l'amour, le vol, le crime. Toutes ces mains propres ou sales qui les avaient caressés le fascinaient. Il pensait qu'ils en gardaient la mémoire. Ils avaient eu leur bonheur, leurs blessures. Il avait fait de sa passion une profession dans laquelle il se sentait parfois mal à l'aise : « Alors, Rheims, comment va votre coupable industrie ? » lui disait de Gaulle, narquois.

Commissaire-priseur lui semblait un métier trop mercantile pour un homme entiché de valeurs aristocratiques et épris de respectabilité. Cette respectabilité dont il savait pourtant à quel point elle pouvait être en toc, surfaite, bricolée par tant de faussaires, il y était attaché. Son âme de pirate se grisait de décorations, de reconnaissance, de relations huppées dont il n'était pas dupe. Il lorgnait éperdument vers une assomption purificatrice : ce fut l'Académie française.

Coiffé d'un chapeau cloche rose et chaussé d'espadrilles, il était prêt à faire sa marche quotidienne. J'étais avec lui dans le curieux jardin de sa propriété en Corse où il avait eu la lubie de faire pousser des bégonias aussi peu à leur place que des cactus en Terre-Adélie. Ces grosses fleurs bêtes et rondes qui se desséchaient de nostalgie, regrettant leur Normandie pluvieuse, nous regardaient de leur air niais tandis que nous conversions, au cours de cette promenade qu'il s'imposait. Nous parcourions son magnifique domaine planté d'oliviers et de cyprès qui, dans l'austérité corse, lui conféraient une douceur toscane. Puis, par le chemin douanier, nous poursuivions notre marche accompagnés par les castagnettes des criquets dans la touffeur du maquis.

Nous parlions d'une très belle femme qui venait de lui rendre visite, Eudora, une Hongroise sculpturale qui avait défié la chronique autrefois quand elle était apparue entièrement nue, vêtue seulement d'une chasuble transparente imaginée par Leonor Fini pour une de ses fêtes dans son moulin du cap Corse. Il s'arrêta, pensif.

— Vous ne pouvez pas imaginer comme elle m'a fait souffrir. J'étais très amoureux d'elle. Atrocement amoureux. Je ne cessais de pleurer. Elle me tourmentait. J'étais désespéré.

Je l'écoutais, étonné, car, en dépit de l'affection qui nous unissait, sa réserve sur de tels sujets était grande et la mienne ne l'était pas moins en face de lui.

— J'avais besoin de me confier. J'ai tout avoué à ma femme en espérant trouver du secours auprès d'elle. Je pensais qu'elle me consolerait. Quelle erreur !

Il me serra très fort le bras.

— Une terrible erreur. Sa réaction a été épouvantable.

Il se tut, comme s'il revivait la scène.

— Ne commettez jamais une erreur pareille !

Le soir, dans l'étroite et sombre salle à manger en pierre sèche qui ressemblait à une grotte, on se retrouvait sur des bancs inconfortables devant de somptueuses langoustes ou des plats plus approximatifs – car ce jouisseur n'était pas un gastronome. Dès qu'on le sollicitait avec un peu d'insistance, car c'était un hôte discret, Maurice Rheims se muait en conteur : ses histoires où il se donnait toujours un rôle à son désavantage étaient savoureuses et piquantes. De la vie, de son absurde comédie, il ne retenait que le cocasse. Craignant comme la peste de passer pour un m'as-tu-vu, il se dépréciait dans les domaines où il excellait : il feignait d'avoir découvert Balthus par hasard pour faire plaisir à Marie-Laure de Noailles ; le même hasard auquel il attribuait sa belle collection de meubles de Carabin. De ses hauts faits d'armes pendant la guerre quand il s'était engagé dans les commandos de marine, il n'évoquait que la trouille qui s'était emparée de lui au moment de sauter en parachute, la nuit, derrière les troupes allemandes. Et la nuit encore où, à Alger, il avait fait le mur de la caserne pour retrouver une belle, évitant de faire partie du peloton d'exécution de Pucheu.

Sur qui n'avait-il pas de passionnantes provisions d'anecdotes ? Picasso, Paul Morand, Niki de Saint Phalle, Tinguely, son compagnon, qui avait débarqué chez lui en Corse avec pour seul bagage une chemise en nylon et une brosse à dents. Il fallait ajouter un grand répertoire d'histoires corses, car il aimait ce pays d'un amour profond. Il savourait ce mélange de beauté sauvage, d'austérité, d'amitiés solides, de tempéraments indomptables qui le lavait des paillettes de la vie parisienne. Il ne refusait rien aux Corses venus solliciter son appui : il se démenait pour obtenir décorations, emplois, certificats, introductions avec la patience d'un homme qui savait combien la vie est dure et le prix d'une recommandation.

On l'aurait écouté toute la nuit s'il n'avait pas eu l'habitude de se coucher tôt et si sa courtoisie ne l'avait pas rendu bref afin de laisser la parole à d'autres convives, émoustillés par sa verve. En effet, à l'autre bout de la table, Jean-François Deniau, le visage maussade, bouillait de l'impatience du causeur frustré, comme si on lui avait volé son auditoire qu'il imaginait pressé de l'entendre réinventer sa vie, ses aventures, auxquelles il ajoutait chaque soir les épisodes les plus fantasques. Deniau jonglait avec les grands hommes qui lui devaient beaucoup, les trônes qu'il avait rétablis, les décisions historiques dont il était l'auteur. Il laissait entendre qu'il avait été le chef d'orchestre clandestin de la construction de l'Europe et qu'il n'avait pas été étranger à la plupart des grands mouvements diplomatiques de l'après-guerre. C'était parfois vrai. Peu à peu, pris par son talent de conteur, sa générosité dans l'affabulation, son ingénuité de grand enfant qui jouait avec le Meccano de ses rêves, je m'abandonnais à la séduction que j'éprouvais pour lui. Parfois, on voyait passer un léger nuage d'agacement sur le front de Maurice Rheims, dont la forfanterie n'était pas le fort, et cela hâtait l'heure de son coucher.

François Nourissier, moins loquace, observait la scène de son regard de grand inquisiteur. Impassible sous sa grande barbe, il assistait à ce déballage sans trahir la moindre réaction, se contentant de laisser tomber de temps à autre dans le potage un sarcasme, une remarque vinaigrée, une goutte de cyanure.

Quand Jean d'Ormesson était de la partie, venu en voisin avec Françoise, vêtu d'une chemise de gardian, l'atmosphère changeait du tout au tout : subitement, c'était la fête. La température montait. Les bulles de champagne faisaient pétiller la conversation. La salle à manger obscure s'éclairait comme un arbre de Noël. Une subite excitation allumait les cœurs. Si habitués à lui que fussent les convives, tous ses amis, ils le regardaient chaque fois comme un phénomène. Il avait le don de réorchestrer les conversations sur un ton plus allègre. Une lueur d'émerveillement se peignait sur les visages, comme si chacun avait le sentiment d'assister à un spectacle unique par la magie d'un homme qui avait reçu le pouvoir d'enchanter la vie. Deniau, enfin terrassé, le considérait comme un rival insurpassable ; Rheims, avec une tendresse amusée, comme l'homme qu'il aurait voulu être ; une lueur d'amusement, presque de gaieté, passait dans les yeux de Nourissier.

À onze heures, aussi ponctuel qu'un coucou suisse, Maurice Rheims se levait et chacun regagnait sa chambre. Je restais seul sur la terrasse avec Michel David-Weill, enfoncé dans un profond fauteuil de jardin, le cigare aux lèvres, à affronter les escadrilles de moustiques. Devant nous, des lumières scintillaient dans la baie de Saint-Florent. Un parfum de jasmin nous enveloppait. La voûte étoilée pesait sur nous de son mystère. J'écoutais le soliloque du grand banquier qui semblait penser tout haut. Quand il s'arrêtait, je lui posais une question comme on met une bûche dans le feu pour éviter qu'il ne s'éteigne. Le regard froid qu'il portait sur toute chose me faisait songer à celui d'un grand chirurgien qui ne s'embarrasse pas de théories fumeuses, d'idées vagues, mais voit la vie au bout de son scalpel. C'était une intelligence glaçante, implacable, nourrie de l'expérience la moins sentimentale, la plus impitoyable, celle des gens d'argent. Ayant eu pour maître le tyrannique André Meyer, le plus froid des monstres froids, revenu de toute espérance sur la nature humaine, exerçant une activité qui mobilise des facultés positives comme celles de la guerre, il s'attendait au pire avec un fatalisme bonhomme de jouisseur.

Il était l'heure d'aller se coucher. Mais comment aurais-je pu dormir après de telles soirées ? Je restais seul à contempler les étoiles. Je leur parlais, elles me parlaient dans cette langue silencieuse que pratiquent les rêveurs éveillés. Je leur demandais de me dire où j'allais. Quand passait une étoile filante, j'avais l'impression qu'elle m'adressait le signe que j'attendais. Mais j'étais bien incapable de comprendre ce qu'il signifiait.

L'Inconnue de la Seine

Recouverte d'un drap blanc qui ne laissait voir que son visage aux yeux fermés, le teint cireux, elle ne semblait ni dormir ni se reposer. Son visage avait pris la teinte de la mort, ce voile gris qui s'imprime lorsque la vie s'en est allée. Ce masque de la mort posé sur le visage d'une très jeune fille était insupportable. On avait envie de l'arracher. Envie de se révolter devant l'irrémédiable injustice ; d'échapper à ce mur absurde sur lequel l'esprit butait sans fin. Tous ces « pourquoi » qui défilaient dans une course folle. Pourquoi ne peut-on pas revenir en arrière, tromper le temps, disloquer sa machine implacable, conjurer la fatalité des événements qu'aucune supplication ne peut émouvoir ? J'avais envie de fuir pour me délivrer de ce spectacle. Pourtant, il fallait rester. Remplir un ultime devoir envers un être cher. Mais pourquoi garder à jamais cette image désolante qui ne s'effacerait pas alors que l'autre image, celle de la joie de vivre de cette jeune fille, de sa gaieté, de son enthousiasme à dévorer la vie, en serait pour toujours assombrie ? Qu'importait le pourquoi et le comment ? Qu'elle se soit donné la mort ajoutait à l'horreur. C'était atroce comme un jeu d'enfant qui aurait tourné au drame. Je pensais à l'Inconnue de la Seine.

J'étais avec Solange. Nous avions posé près du corps un bouquet de violettes. Le préposé à la morgue, vêtu d'une blouse bleu clair, avait lui aussi un teint gris qui tirait sur le verdâtre, comme s'il avait été contaminé par sa fréquentation des morts. Ses yeux avaient un air fatigué, des yeux d'insomniaque. Silencieux, laconique, le geste lent, le visage vide d'émotion, il était tout en effacement comme une machine humaine dont la fonction était réduite à montrer les morts.

La contemplation du visage fermé de cette jeune fille épaississait le temps. Les secondes s'écoulaient avec une insupportable lenteur. Je me demandais si je pourrais jamais effacer cette vision de ma mémoire, la nier, me convaincre qu'elle n'avait jamais existé. Solange prit ma main dans la sienne. Nos doigts se serraient avec force et c'était comme si nous croisions nos mains à l'unisson avec celle de la jeune morte. Un lien plus fort que tout qui effaçait entre nous les mensonges, les tromperies, ce ridicule théâtre à la surface de nos vies et de nos corps égarés. Cette mort nous rendait à l'essentiel : nous étions inséparables. Quoi qu'il advînt dans l'avenir, le partage de ce moment scellait un pacte que rien ne pourrait rompre.

Dans la rue de Sèvres, à la sortie de l'hôpital Necker, j'éprouvais un sentiment de délivrance. Les bourgeons verdissaient dans les arbres ; le soleil, les oiseaux qui piaillaient dans le square du Bon Marché, les piétons, les voitures avec à leur bord des gens vivants : la vie, la vie était là. Nous avions l'étourdissante chance de vivre.

Une étreinte sans lendemain

J'étais à Noirmoutier. Dans la chambre d'une belle villa du Bois-de-la-Chaise qui voguait dans la nuit d'été. J'avais l'impression d'être à bord d'un bateau. Était-ce la proximité de la mer, la brise qui faisait frémir les rideaux de tulle, transportant une odeur forte de goémon et de sapinette ; la sensation d'aventure, la griserie qui étreint devant la perspective de connaître des pays nouveaux ; le sentiment d'irréalité que procure un rêve longtemps caressé et enfin atteint ?

Cela tenait surtout à la femme que je serrais dans mes bras. La chambre douillette, tendue de toile de Jouy bleue, était dans une demi-pénombre : seule la lumière de la salle de bains éclairait son long corps allongé sur le lit, son dos immense. Une telle beauté me troublait. Je me demandais si je ne rêvais pas. Un électrophone chuchotait sans fin les chansons de Jeanne Moreau, *J'ai la mémoire qui flanche*, *Ni trop tôt ni trop tard*, qui nous enveloppaient dans leur mélopée et nous parlaient cette langue désenchantée qui emplit de tristesse les silences après l'amour. Elles nous disaient que rien ne dure, que l'amour est un songe, que l'étreinte si fervente des corps n'est qu'une délicieuse illusion ; que seuls demeurent la nostalgie et le poison des regrets.

À qui songeait cette femme allongée contre moi ? Au mari qu'elle venait de tromper ? À cette liberté des corps que donnent les vacances, l'été, les soirées désœuvrées ? Et puis était-ce vraiment tromper de serrer dans ses bras un adolescent, presque un enfant ?

Je m'imprégnais de l'atmosphère de cette chambre : les flacons de parfum sur la commode, le sac à main ouvert, la penderie entrouverte qui laissait voir des robes d'été, le chandail marin jeté sur un fauteuil crapaud avec un soutien-gorge à l'avenant. Je posais les yeux sur chaque objet et mon regard revenait sur ce corps magnifique que je ne me lassais pas d'admirer.

Je voulais conserver intact le souvenir de cet instant. Il ressemblait trop à un rêve pour ne pas se dissiper. Était-ce bien moi qui étais dans ce lit avec une femme si belle, si convoitée, qui m'avait ouvert ses bras avec une telle spontanéité, se livrait à mes caresses, accordait si bien ses désirs aux miens en riant de mes mots tendres ? Pourquoi bénéficiais-je de cette chance d'autant plus surprenante qu'elle était mariée et plus âgée que moi ? Il me semblait que j'avais de bien minces mérites pour la séduire. Quelques semaines plus tôt, j'avais raté mon bac et j'étais terrassé par le cafard. Et ce soir, j'étais heureux, follement heureux, au point d'en oublier ce bac raté une nouvelle fois.

Cette femme, c'était Sara. Loin de m'être inconnue, elle m'avait fait rêver comme les êtres de légende qu'on ne rencontre jamais. Elle évoluait dans le plus inatteignable des mondes, celui mythique des « amis de ma sœur » dont Solange entretenait le culte pour m'éblouir et assurer l'ascendant social qu'elle voulait exercer sur moi. Sara était devenue aussi irréelle à mes yeux que pouvaient l'être Jean d'Ormesson et quelques autres personnages qui flottaient, aériens, à la lisière du monde réel comme les héros des romans que j'aimais. Ils étaient tout aussi prestigieux, familiers et désincarnés. Les rencontrer me paraissait non seulement une entreprise au-dessus de mes moyens, mais un vœu chimérique. Ils me plaisaient pour ce qu'ils étaient : hors d'atteinte. Cela m'aurait paru aussi déraisonnable et vain que de vouloir entrer en contact avec Rubempré, Rastignac, Fabrice del Dongo ou le prince André.

Sara avait beau être une légende à mes yeux – ce dont elle était loin de se douter : elle en aurait ri –, elle se comportait avec un naturel et une chaleur qui abolissaient les distances. Évidemment, quand elle me parlait de son cousin Giscard d'Estaing, jeune ministre des Finances promis à un bel avenir, de leur ancêtre commun, Montalivet, ministre de Napoléon, ces révélations enflammaient mon imagination sans diminuer les séductions de la femme, elle bien sensuelle et délicieusement incarnée dans un corps magnifique. Ainsi, j'avais deux femmes dans mes bras : la réelle et l'imaginaire. L'amour les réunissait dans sa substance magique sans que je ne sache plus les distinguer.

Que m'importait la fin de l'été si proche et pourtant si lointaine. Qu'importait ce qui allait finir puisque tout finit. Je savais ce qu'il adviendrait après les vacances : Sara me quitterait, c'était dans l'ordre et j'allais souffrir. Qu'est-ce qu'une souffrance à venir en face d'un tel instant de bonheur ! Une semaine nous restait. Nous irions nous baigner dans les eaux froides de l'océan, sur la plage de Luzeronde, traversant les marais salants sur nos bicyclettes, puis nous irions manger des huîtres sur le port. Nous échangerions des confidences sans fin dans un total abandon, sachant que nous vivions une parenthèse avant que Paris ne nous reprenne dans ses griffes. Parfois, je me demandais si, en dépit de notre différence d'âge, elle n'était pas aussi jeune que moi avec son rêve d'écrire, de vivre de folles aventures. Il y aurait d'autres nuits comme celle-là. Puis la dernière nuit, avec sa volupté triste et son goût d'adieu.

Bien sûr, cette fin d'été me rendait mélancolique. Mais elle m'apportait une étrange satisfaction tant est irrationnelle la balance qui équilibre nos défaites et nos succès : j'avais raté mon bac, mais j'avais couché avec Sara. Jacqueline de Romilly n'y aurait pas vu le gage d'un grand avenir. Moi si ! Tout désormais me semblait possible.

TROISIÈME PARTIE

L'ABANDON

Coupable, toujours coupable

À quoi tenait le malaise que j'éprouvais ? Un sentiment d'étouffement. J'étais dans une cave confinée de la rue des Canettes que l'on rejoignait par un escalier abrupt en pierre. La voix de Monique Morelli s'élevait, gutturale, avec des intonations rauques, portant la belle plainte des poèmes d'Aragon. Ces paroles douloureuses qui chantaient l'amour blessé, toujours malheureux, atteignaient en moi des zones indéfinissables de souffrance. Elles m'écorchaient l'âme, augmentant mon malaise. Solange, assise à côté de moi sur un inconfortable tabouret en bois, écoutait, des larmes dans les yeux. Elle qui aimait tant la vie, toujours exubérante et enjouée, se plaisait à se faire souffrir en se poignardant avec des chants nostalgiques et désespérés comme le fado. Très peu intéressée par les livres, elle avait une passion pour les poèmes d'Aragon mis en musique par Léo Ferré. Elle m'avait offert un disque qui les réunissait. Nous l'écoutions souvent le soir, partageant la vision désenchantée du poète. Nous nous retrouvions en étroite communion avec son désespoir et son mal de vivre. Pressentait-elle que la condamnation qu'il portait sur l'amour serait notre lot à nous aussi ? Encore émus par le spectacle auquel nous venions d'assister, les yeux rougis par la fumée et par les larmes, nous marchions en silence place Saint-Sulpice. La fontaine était éclairée ; je distinguais la rue Férou qui évoquait si fort pour moi Hemingway et vraiment rien pour Solange. Ma sensation d'oppression et de malaise augmentait. Nous nous assîmes à la terrasse du café de la Mairie. L'été était encore là, finissant, poussant des effluves tièdes qui charriaient l'odeur des feuilles mortes du jardin du Luxembourg. Nous évoquions les vacances. Je la soupçonnais, dans le récit qu'elle m'en faisait, de ne pas tout me dire. Avait-elle revu l'Espagnol de Klosters ? Mais à quoi bon chercher à savoir ce que je savais. J'étais résigné.

Subitement, l'idée me prit de tout lui avouer : Sara, la chambre du Bois-de-la-Chaise, les promenades à bicyclette, les baignades sur la plage de Luzeronde. Ne tenais-je pas ma revanche ? Ma vengeance ? Mais pourquoi la faire souffrir ? Ce que j'étais impatient de lui dire, c'est à quel point elle avait été présente, en filigrane, dans ces moments de bonheur et de volupté. Coucher avec Sara, n'était-ce pas une façon de la rejoindre puisque c'était elle qui, en façonnant sa légende, avait suscité mon désir ? Avec la perfidie, qui est le poison des relations amoureuses, j'avais envie qu'elle comprenne que je l'avais trompée. Mais en m'exemptant de la brutalité d'un aveu. Je voulais qu'elle devine d'elle-même le secret que je brûlais de lui confier.

La chanson de Jeanne Moreau me revint soudain en mémoire : c'était comme si j'étais à nouveau transporté dans la chambre de Sara : cette chambre douillette, tendue de toile de Jouy bleue. Je revoyais son long corps nu dans la demi-pénombre. Comme ils étaient fervents et légers, les instants passés avec elle ! Nos jeux amoureux, qui me troublaient tant, n'étaient accompagnés d'aucune souffrance : ni la jalousie ni l'angoisse ne pesaient sur eux. J'avais envie de la revoir. Un désir fou me tenaillait. Pourquoi lui avais-je fait la sotte promesse de l'oublier ? Je revins à la réalité : Solange était en face de moi.

Le malaise qui m'étreignait devint plus fort : je me sentais coupable.

— Tu as l'air ailleurs, me dit-elle.

Je haussai les épaules. Elle me parla de mon bac. Elle pensait que c'était cet échec qui me préoccupait. Je pris un air évasif.

Le pire, c'est que ce bac, je n'y pensais même pas. C'était mon cœur qui me faisait souffrir ; ce cœur double qui me condamnait à être toujours coupable, coupable d'une faute obscure que, pourtant, je n'avais pas le sentiment d'avoir commise.

Une amitié barbelée

La culpabilité le tourmentait lui aussi. À la fois moteur et carburant de sa personnalité. En dépit de son visage ouvert à l'abord sympathique d'homme prodigue de claques dans le dos et d'accolades viriles, elle l'irriguait en profondeur de ses vagues noires. J'avais rejoint Franz-Olivier Giesbert dans son absurde bureau directorial du *Figaro* qui ressemblait à un aquarium. Comme ce bureau tout en vitres était trompeur : sans doute voulait-il se donner une impression de transparence, lui l'homme le plus opaque et le plus obscur qui soit ; d'accueil facile, lui qui n'était proche de personne tant il était obsédé par la guerre civile qui se déroulait en lui. Assis, d'apparence disponible comme un lion au repos, rien ne le distrayait de la prodigieuse activité qu'il déployait pour apaiser son démon. Il dirigeait une rédaction mais songeait à en conquérir une autre pour étendre un pouvoir qui n'était jamais assez vaste pour le satisfaire. En même temps, il songeait au livre qu'il était en train d'écrire et dont il reprendrait le fil à cinq heures du matin. Comme Macbeth, le sommeil le fuyait. Pourtant, il n'avait pas commis de crime, même si, dans l'assouvissement de sa volonté de puissance, il laissait quelques cadavres derrière lui. Sa monstrueuse vitalité lui en ôtait la conscience et ce n'était qu'après coup que les remords le rattrapaient. Sa vision darwinienne du pouvoir lui donnait l'impression d'obéir aux lois de l'espèce qui donne raison aux plus forts. Il n'y avait pas de limite à sa faim. Et le monde, qui aime les conquérants, saluait sa réussite. Quant à ses victimes, elles ne lui en voulaient pas d'avoir été immolées par un bel ange exterminateur, instrument de la fatalité. Car, à la beauté du diable, il ajoutait une séduction belzébuthienne.

J'étais loin d'imaginer la révélation qu'il allait me faire. Ni le lieu, ni l'heure, ni la ruche bourdonnante des journalistes au moment du bouclage ne s'y prêtaient. Nos liens anciens, empreints de sympathie, nous permettaient d'affronter les tensions, les énervements réciproques, les reproches, les brouilles, suivis d'affectueux rabibochages qui émaillent les relations dans le journalisme que Paul Valéry range parmi les « professions délirantes ». En effet, plus qu'ailleurs, les malentendus fleurissent ; la paranoïa sévit ; le moindre désaccord peut dégénérer en soupçon de cabale. Le sachant toujours aux aguets devant les occasions propices pour serrer la longe de son pouvoir, je me tenais sur la défensive. Puis, son charme aidant, je baissais la garde. Fataliste, je savais que le jour où son caprice le déciderait à m'évincer, notre amitié ne pèserait pas lourd dans la balance. Mais ce risque qu'il y a à jouer avec un grand fauve donnait du piquant à notre relation. Pas de calme plat avec lui.

Ce qui nous rapprochait et nous séparait, curieusement, c'était la littérature. Quelque effort qu'ils fassent pour se donner l'illusion d'une entente fraternelle, les écrivains, pourtant conscients d'être incomparables, sont en perpétuelle concurrence dans la course à la reconnaissance. Comme les hommes amoureux d'une même femme. Difficile donc de supporter l'existence d'un autre écrivain sans y voir un rival : c'est comme s'il vous volait une part de l'amour qui devrait vous revenir. Lucide sur ce que notre amitié avait de barbelé, je m'attendais à tout avec lui. Avec cette curiosité du romancier face à un personnage de roman imprévisible. À tout, sauf à l'abandon. À cette confiance qu'il me témoignait pour une raison mystérieuse qui lui faisait me donner une arme dont je pourrais me servir contre lui. Même si, avec moi, il ne prenait pas de grand risque : une faiblesse avouée me lie beaucoup plus que les vaines contraintes de la force.

Quel fut le prétexte à sa confession ? Qu'importe. Elle tomba sur moi, abrupte. La violence qu'elle contenait effaça tout contexte. En face de moi, un homme voulait se décharger d'un fardeau trop lourd. Il me parlait de son père, l'Américain, de la violence physique qu'il exerçait sur lui, doublée de la tyrannie qu'il imposait à sa famille. Les coups pleuvaient, les punitions au ceinturon, les humiliations sadiques devenaient quotidiennes de la part de ce père que Franz ne pouvait s'empêcher d'admirer et même d'aimer. Et, dans le paysage de son enfance vouée au malheur et à la solitude, une lumière soudain apparaissait : un vagabond lui apportait l'amour dont il était frustré. Mais en même temps il abusait de lui. Sa jeunesse avait été assombrie par ce terrible tourment : contraint à détester un père qu'il aimait et à aimer un pervers devenu le dispensateur de l'amour.

Je l'écoutais, effaré. Cloué dans mon fauteuil, je ne pouvais prononcer un mot. La révélation m'accablait. Ma position inconfortable de confesseur dans ce confessionnal si peu approprié qu'est un journal avait quelque chose d'extravagant. Je revivais les scènes qu'il me décrivait. Elles me dévastaient. Elles avaient un écho sensible dans ma propre vie. J'avais connu une expérience qui, hormis la violence, possédait des similitudes avec son drame. Un climat trouble s'instaurait entre nous, comme celui qui suit un geste impudique.

Dès lors, je ne regardai plus Franz de la même façon. Je ne lui en reparlai jamais. Même lorsque, des années plus tard, il publia un livre où il réitérait cet aveu. L'ombre de son passé l'éclairait d'une lumière dostoïevskienne, la lumière rouge des abîmes. J'étais entraîné dans son monde poisseux de culpabilité qui résonnait avec mon propre sentiment d'une faute inexpiable. Jamais comme à cette occasion je n'ai eu la sensation de découvrir chez un homme la matrice de son œuvre et de sa vie.

Cette matrice le condamnait à répéter comme un héros de la mythologie grecque, un Sisyphe, le même processus d'amour et de haine, et à reproduire dans l'âge adulte le même dilemme douloureux de son enfance dans le fol espoir de le résoudre. C'est toute la force obscure du traumatisme. D'où sa manie compulsive d'assassiner ses pères successifs ou de nouer avec eux des relations masochistes. Curieusement, tous les hommes d'exception avec lesquels il nouait des amitiés fortes, à haut voltage passionnel, allaient se prêter à ce rôle dans son psychodrame. Il existe une photo prise l'été, sur la Côte d'Azur : Chirac et Franz endormis côte à côte à

167

l'heure de la sieste sont fixés de profil sur la plage arrière d'un yacht. Le visage empâté de Chirac pourrait être confondu avec celui de Mitterrand ou de Robert Hersant. Tous ces pères qu'il a successivement aimés et mis en pièces, hormis Hersant avec lequel il a noué le rapport le plus lourd d'ambiguïtés œdipiennes.

Le portrait qu'il brosse de Chirac, si violent qu'il soit dans le dévoilement de sa vie privée et dans son réquisitoire contre ses insuffisances, reste empreint d'une vague tendresse. Il garde de la sympathie pour ce fonceur auquel, par bien des aspects, il ressemble. Il aime son énergie de prédateur, son endurance dans l'adversité, son impétuosité de cavalier qui s'est trompé de costume : il a confondu l'uniforme du général de Gaulle avec la queue-de-pie du président Queuille. Même s'il le montre maladroit, brut de décoffrage, incohérent, menteur, ingrat envers ses amis, lâcheur quand ses fidèles connaissent à cause de lui des ennuis avec la justice, il semble touché par une forme d'innocence. Après les assauts de Franz, Attila du journalisme qui massacre tout sur son passage, une tendre herbe verte repousse autour de Jacques Chirac. Au moins lui n'est pas méchant ! Il y a chez Franz du boy-scout américain pétri de puritanisme qui juge les politiques à l'aune de la morale. Il réserve bizarrement ses flèches pour ceux qui lui paraissent plus remarquables par leur intelligence et leur culture. Qui déteste-t-il le plus de Balladur ou de Villepin, auquel il a été si lié par l'amitié, au point que, les voyant souvent ensemble, le grand brun et le grand blond, rayonnant de beauté, de succès et de force, on avait le sentiment de voir sous les sunlights la réapparition d'un couple légendaire, comme celui d'Ava Gardner et de Lana Turner ? Là encore, l'idylle s'est terminée dans le sang.

Même conduite vacharde pour Sarkozy. Dans son essai, *La Tragédie du Président*, il ne faut pas chercher la fade objectivité de l'historien ni la rigueur compassée du politologue, encore moins la complaisance du journalisme de connivence. C'est une démolition en règle ; un pamphlet peint à coups de scènes violentes et cruelles où l'on sent parfois l'auteur saisi par l'ange du repentir. Il fait alors penser à ces preux chevaliers du Moyen Âge qui égorgeaient tout en faisant le signe de la croix et violaient les femmes après avoir invoqué la Sainte Vierge. Car Franz se fait mal en faisant mal. Il souffre des coups qu'il assène autant que des secrets de l'amitié qu'il trahit.

Franz aime le monde politique. Il l'aime pour les odeurs fortes qu'il dégage, le goût faisandé d'intrigues, de coups bas, d'officines troubles, de prévarication, d'arrivisme, de cynisme, où fleurit çà et là un idéal fragile comme une petite fleur bleue qui ne passera pas l'hiver. Cette humanité instinctive, rude, violente, il a pour elle la même attirance qui le pousse vers les cochons lubriques qu'il a décrits dans *La Souille*. Franz aime la fange. Il reprendrait volontiers à son compte la formule d'Édouard Herriot sur la politique qui doit sentir comme l'andouillette une odeur excrémentielle.

Et ça sent très fort l'andouillette dans les livres de Franz. Dépeint-il la réalité avec la verve crue d'un écrivain naturaliste ou est-ce l'expression de son paysage intérieur ? Quand on a lu *La Souille*, *Le Sieur Dieu*, on en ressort avec une confiance très modérée en la nature humaine. Le fonds littéraire de Franz est noir, tumultueux, désespéré. Une vision délétère que la vie a rattrapée en lui infligeant les souffrances d'un terrible cancer, empoisonnée par les épisodes d'une rupture conjugale dont il n'a rien dissimulé dans un récit d'une lucidité et d'une cruauté difficiles à soutenir. Quelles que soient les lumières d'un talent incontestable et d'une réussite éclatante, une lourde impression de désenchantement se dégage de son œuvre. Une œuvre où le spirituel est en berne ; le corps voué à un inexorable pourrissement ; l'homme condamné à subir jusqu'au bout la maladie de la vie où ne reste finalement qu'un désert de l'amour sans pardon ni espérance.

Retour de flamme

L'oreille aux aguets, je guettais le moindre bruit dans le couloir. Allongé sur mon lit dans ma chambre de bonne, je luttais contre le sommeil. Un parfum sucré d'encens flottait : j'avais allumé un bâtonnet pour chasser les prolétaires odeurs de friture provenant de la chambre voisine. Je me levai. J'allai à la fenêtre avec l'espoir de voir un taxi s'arrêter au bas de mon immeuble. La nuit était froide. Au loin, au-dessus de la mer grise des toits, le Sacré-Cœur était éclairé. Le faisceau bleuté de la tour Eiffel balayait la nuit, faisant resplendir le dôme doré des Invalides. Plus la nuit avançait, plus j'étais inquiet. J'avais peur que Sara ne vienne pas. Quelle lubie l'avait prise de vouloir me revoir ! Rien ne la liait, pas même les promesses qu'elle se faisait à elle-même. Ce revirement me grisait. Je l'aimais jusque dans son caractère fantasque. Mais ne s'attendre à rien et s'attendre à tout, c'était à l'image même de la vie. Je commençais à m'habituer à la météorologie capricieuse des sentiments.

Sara était à un bal au château de Ferrières. Je l'imaginais, magnifique goélette, voguer au milieu de cette fête brillante, éclairée par la lumière des lustres, le scintillement des verres qui se reflétaient sur la vaisselle en argent. Elle devait rayonner de toute sa beauté, attirer les regards, être admirée, désirée. Partout où elle allait, on était sous le charme de sa fantaisie et de ce grain de folie qui la rendait si originale. Avec qui dansait-elle ? Elle devait évoluer au milieu de cette société prestigieuse des « amis de ma sœur » : Anne-Marie, Jean d'Ormesson, toutes ces déités sans visage qui hantaient mes rêves.

Mais le succès même de Sara et l'aura de ses amis étaient pour moi une source d'inquiétude : pourquoi aurait-elle la lubie de les abandonner pour venir me rejoindre ? Se doutaient-ils, ses amis, que Sara parée de sa robe du soir de chez Lanvin allait retrouver un jeune amant dans sa chambre de bonne ? Non, de toutes les folies dont ils la savaient capable, c'était la moins imaginable. Être l'objet de cette folie me flattait mais accroissait mon sentiment d'irréalité et mon angoisse. N'allais-je pas vers une nouvelle déception ?

J'entendis le claquement caractéristique que faisait la porte palière en se refermant à l'autre bout du couloir. Était-ce elle ? Mon cœur battait. Je regardai ma montre : deux heures. Je m'apprêtais à être heureux, ce qui est toujours la meilleure façon de ne pas l'être. Une voix d'homme résonna dans le couloir, bientôt suivie d'un rire de femme qui dégénéra en gloussement. Le bruit d'une clé qui déverrouillait une serrure, et la porte voisine claqua. L'angoisse me saisit. Sara ne viendrait pas. Entraînée par ses amis, elle avait préféré finir la soirée dans une de ces boîtes de nuit à la mode. Pourquoi alors avait-elle allumé en moi cet espoir pour le décevoir ? Il ne fallait pas chercher à comprendre. Je tentais de me rassurer : peut-être viendrait-elle quand même après avoir dansé, légèrement grise, plus folle encore que d'habitude, alors que se dessineraient dans le ciel les premières lueurs de l'aube.

Je rallumai un bâtonnet d'encens, flairant les odeurs suspectes. J'ouvris à nouveau la fenêtre. Les voitures se faisaient rares sur le boulevard Montparnasse. Un car de police passa en trombe, brûlant les feux rouges. Je songeais à Apollinaire : « Comme la vie est lente et comme l'espérance est violente. » Cette violence, comme elle me dévastait ! Comment assagir mes pensées qui battaient la campagne ? Peut-être devrais-je dormir ? C'était la plus sage mais la moins poétique des solutions. Une faute contre l'amour ! On ne dort pas en attendant sa maîtresse. Aucun des héros des romans que j'aimais n'avait commis cette indélicatesse. Je devais résister au sommeil jusqu'à la limite de mes forces.

Une pensée cruelle m'effleura. Insinuante, elle s'amplifiait : avait-elle rencontré un homme à ce bal qui lui avait plu ? J'étais entraîné dans la ronde folle des images et des hypothèses. Je me torturais à imaginer des scènes, des explications plausibles. La lumière dans le couloir s'alluma. À nouveau j'entendis le bruit de la porte palière qui se refermait. Puis des pas légers sur le plancher qui craquait. On frappa à ma porte. Mon cœur battait à se rompre.

Sara était devant moi, dans l'embrasure de la porte, magnifique dans sa longue robe en satin violet, scintillante de bijoux. Plus grande, plus impériale que je ne l'avais imaginée. Je me précipitai dans ses bras. Elle m'enveloppa dans son lourd parfum. Très vite, elle se délivra de sa robe violette comme elle aurait ôté une carapace qui l'emprisonnait et l'abandonna sur le plancher. J'avais tamisé la lumière en posant sur la lampe un foulard rouge qui jetait dans la chambre des lueurs pourpres. Je l'étreignis avec passion. Quelle fièvre je mis dans l'amour. Ce n'était pas seulement son corps au lourd parfum que je serrais dans mes bras, c'était les lumières de la fête, le château de Ferrières, son atmosphère de luxe et de raffinement qui imprégnait encore sa peau, mais aussi l'angoisse qu'elle ne vienne pas, la tristesse de devoir la perdre à nouveau.

Puis je m'endormis dans ses bras. Je n'avais plus besoin de faire des rêves.

L'amour sous la pluie

La pluie tombait dru sur le jardin du Luxembourg, soulevant une odeur de terre et de feuilles mortes. Nous étions assis côte à côte sur un banc, protégés par un grand parapluie rouge. Je serrais sa petite main gracile comme une main d'enfant tandis que les gouttes de pluie dégoulinaient le long du manche. Le jardin était désert. Personne sur les courts de tennis ni aux abords du théâtre de Guignol, d'ordinaire envahi par les piaillements des enfants. J'observais son visage aux yeux bridés, sa bouche charnue, ses longs cheveux d'un noir profond. Nous récitions des poèmes de Verlaine qui évoquaient la pluie et bien d'autres qui chantent l'amour triste, volage, fatal. Elle disait ces poèmes avec l'accent indonésien, guttural, prononçant chaque syllabe en ouvrant grand la bouche, comme une petite fille appliquée. J'étais émerveillé par cet oiseau des îles, venu de Sumatra, abandonnant les moussons, les cyclones, les maisons sur pilotis pour la douceur et la modération françaises, et qui trouvait en Verlaine un refuge où se reposait son âme voyageuse. Rien n'était plus fortuit que notre rencontre à une exposition de peinture place Saint-

Sulpice. Pourtant, elle avait pour moi un caractère d'évidence.

Ce qui m'émouvait chez elle, c'était l'alternance de gaieté qui soudain allumait ses yeux noirs, brillants de malice, et ses longs silences faits de recueillement et de connivence. Si envoûtante que soit l'étreinte de nos mains, nous savions que nous n'en resterions pas là. Regarder la pluie produisait un engourdissement hypnotique. Au fond de nous-mêmes, nous ne pouvions nous empêcher de méditer sur ce qui allait advenir dès que nous aurions cédé à l'entraînement qui nous poussait l'un vers l'autre. Si aléatoire que puisse être le jeu des désirs et des consentements, l'issue amoureuse s'imposait comme une certitude. Ce moment n'en était que plus précieux. Nous partagions la magie qui le rendait unique. Après, nous irions rejoindre le lot commun. L'éclair de la volupté se dissout vite dans la mémoire. Mais rien n'aurait le pouvoir d'effacer le moment qui l'avait précédé. Les malentendus à venir, la jalousie, les déchirements, la rupture ne parviendraient pas à l'arracher de nos cœurs. Comme si nous avions dessiné une de ces œuvres qui immortalisent un instant par essence éphémère. N'était-ce pas ce qui restait de ma vie, comme de chaque vie ? Des images qui se rangeaient dans le fouillis de mon musée imaginaire, au même rang que le souvenir des œuvres d'art qui m'avaient ému.

Ce souvenir irait rejoindre au milieu de tant d'autres non seulement *La Maja desnuda* de Goya, fraîche et désirable, admirée au musée du Prado, mais aussi le contexte sentimental angoissé qui m'avait entraîné en Espagne à Chinchón ; le *Bar des Folies-Bergère* de Manet, admiré à Londres à la Fondation Courtauld, et mon émotion devant ce visage de jeune fille rousse qui exprimait la misère d'être seule, pauvre, face à la sollicitation de l'amour vénal ; la *Vénus* de Cranach, à Munich, dont l'adolescence semble si fragile comme si sa beauté était saisie in extremis, avant que la griffe du temps ne saccage sa jeunesse, la préservant à jamais des outrages de la vieillesse et de la mort. Qu'est-ce, après tout, qu'une vie sans ces images qui entremêlent les œuvres d'art et les précieux souvenirs vécus ? Un inutile remplissage d'instants morts !

Nous nous levâmes. Je l'étreignis, tenant toujours le parapluie rouge au-dessus de nous. Je l'embrassai. Sa bouche avait un goût sucré de bonbon et de rouge à lèvres.

Nous nous retrouvâmes chez moi : dans la demi-pénombre, nos corps se reflétaient dans un grand miroir posé près du lit. Les gestes amoureux que nous accomplissions se dédoublaient. Si occupé que je fusse à atteindre la jouissance, une part de moi-même demeurait sous la pluie, au Luxembourg, sous la protection du grand parapluie rouge.

Trois semaines plus tard, elle était à nouveau chez moi. Un buffet sommaire était préparé dans le salon. Candidat à l'Académie française, j'attendais ce fatal décret qui décide du succès ou de l'échec. Comme c'est l'usage, les académiciens et quelques amis allaient venir me congratuler ou m'adresser des condoléances. Le chat noir de la concierge se frottait l'échine sur le rebord de ma fenêtre derrière la vitre.

J'attendais le coup de téléphone. L'heure fatale approchait avec une insupportable lenteur. Je me préparais au verdict.

Enfin, le téléphone sonna : c'était l'échec. Même si j'y étais préparé, il me saisit. Les illusions s'effondraient, me laissant un sentiment de lendemain de fête gâchée. J'avais honte d'avoir été la dupe de moi-même. Cet échec n'était pas seulement un échec en soi, il portait avec lui des relents de tous les ratages qui avaient assombri ma vie. Ils se réveillaient comme de vieilles blessures. Sans dire un mot, elle me prit dans ses bras. Elle réveilla mon désir. Dans la chambre, devant le miroir, nous fîmes l'amour dans une ambiance de désastre. Le plaisir avait un goût amer, mais c'était le plaisir.

La sonnerie de la porte retentit. J'allai ouvrir : un flot d'académiciens et d'amis fit irruption dans le petit appartement, apportant dans ce climat de défaite un étrange brouhaha de bonne humeur, de plaisanteries et de paroles réconfortantes. Ce n'était un drame que pour moi ! Je m'efforçais de faire bonne figure. J'étais encore sous l'effet du désenchantement et du plaisir. J'allais de l'un à l'autre. On tentait de me remonter le moral. On minimisait l'échec. Quand la foule des invités se dissipa, je m'aperçus qu'elle était partie. Évidemment avec un autre. C'était la vie. Mystérieuse dans ses desseins, indifférente à tout, elle reprenait ses droits.

Télescopage amoureux

Solange pleurait. Les sanglots l'étouffaient. Les larmes laissaient sous ses yeux des traînées de Rimmel. Le visage congestionné, elle devenait laide. Sa blessure dissimulée sous le maquillage réapparaissait. Je n'avais pas envie de la consoler, mais de fuir. Je ne trouvais aucun mot pour la secourir, aucun geste. J'étais paralysé. L'amour qui me liait si fort à elle semblait s'être dissipé pour laisser place à l'indifférence et à l'ennui. J'étais insensible à l'appel de ses larmes. Au contraire, elles m'irritaient, elles faisaient peser sur moi le poids de la culpabilité que je fuyais. Sa souffrance ne m'était pas seulement insupportable parce que j'en étais la cause, mais parce qu'elle réveillait ma propre souffrance à cause d'elle. Probablement ma propre laideur, lorsque le désespoir m'avait terrassé en apprenant qu'elle avait été rejoindre l'Espagnol à Klosters et que j'avais moi aussi pleuré. Comme j'avais honte de ce souvenir, maintenant qu'elle m'offrait le spectacle de mon propre visage !

Dans la chambre de bonne étroite, impossible d'échapper au spectacle de son calvaire. La tête dans les mains, enfermée dans son désespoir, elle était assise sur le lit en désordre qui rappelait, comme un irrécusable témoin, la nuit que je venais de passer avec Sara. Son lourd parfum flottait dans la chambre. Sur le bureau, la toque de fourrure en loutre noire qu'elle avait oubliée dans l'affolement aggravait encore le sentiment de sa présence.

Pourquoi fallait-il que la magie de cette nouvelle nuit d'amour avec Sara, si tendre et voluptueuse, ait été gâchée par la malencontreuse visite de Solange, venue me surprendre ce matin-là ? Quelle prémonition l'avait alertée ? Quel instinct pour aller au-devant du malheur ?

Accablé, je frémissais encore de cette scène : Solange frappant à la porte, apparaissant dans l'embrasure et nous voyant, Sara et moi, pétrifiés de confusion. Très digne, feignant l'impassibilité, elle n'avait presque pas marqué de surprise, comme si de nous voir ensemble était la chose la plus naturelle du monde, ignorant le lit en désordre et la situation dépourvue d'ambiguïté. Elle trouvait même matière à plaisanter, accroissant le climat de gêne qui pesait sur ce huis clos. Sara nous laissa. Solange continuait à me taquiner sur le ton du badinage. Soudain, elle s'effondra.

Partie, Sara restait terriblement présente. Pas seulement à cause du lit défait, de la toque en loutre noire, de son lourd parfum. Tout suggérait son passage. Pouvais-je me justifier auprès de Solange en lui disant qu'après tout, c'était elle qui m'avait poussé à la tromper ?

Combien de temps dura ce pénible tête-à-tête ? J'étais anesthésié. Je voulais éviter les explications. Pouvait-il y en avoir ? Je la pris dans mes bras. Ses sanglots augmentèrent.

Sara n'allait-elle pas m'en vouloir de lui avoir fait subir cette ridicule confrontation ? N'allais-je pas la perdre à nouveau ? Tandis que je serrais Solange contre moi, tentant de la consoler, j'étais torturé par l'envie de rattraper Sara. Le conflit de mes désirs me semblait indigne.

Enfin, Solange se leva, se rajusta, se poudra. Elle partit sans un mot. Je ne cherchai pas à la retenir. J'éprouvais un affreux sentiment de délivrance.

Je demeurais accablé. Une heure plus tard, je lui téléphonai : je l'aimais toujours.

La magicienne

Armée d'un pinceau, elle brossait mon portrait. De temps à autre, elle se levait, venait modifier la pose et, surtout, échancrer un peu plus le col de ma chemise blanche d'Eliacin à la mode. Docile, je me laissais faire. Avec elle, pas question de regimber. Son autorité, qui était grande, s'exerçait toujours pour votre bien. M'eût-elle demandé de me mettre nu – ce qui ne lui aurait pas déplu car elle aimait la chair fraîche –, je l'eusse fait volontiers. La pudibonderie petite-bourgeoise n'était pas son fort. J'avais dans cet exercice de la pose une longue expérience : toute mon enfance, j'ai servi de modèle à mon père. Je me pliais de bon cœur à cette immobilité qui, pour les garçons de mon âge, était une torture. C'était au contraire, pour moi, l'occasion de m'adonner à ce qui a toujours été une occupation délicieuse : rêver. Et, ce jour-là encore, au milieu d'un capharnaüm de chevalets, de châssis, de boîtes de couleurs, je rêvais.

Cette vieille dame – elle aurait eu ce qualificatif en horreur – ne m'en laissait pas beaucoup le loisir. La séance était entrecoupée d'anecdotes, de plaisanteries, de propos cocasses qui faisaient d'elle un personnage.

Une originale, comme on dit dans son milieu qui en compte peu.

La situation en elle-même n'était pas banale. Le maître d'hôtel en veste blanche, qui venait de temps à autre nous apporter un verre d'orangeade sur un plateau d'argent, en me voyant ainsi presque dénudé, avait beau garder son flegme – il en avait vu d'autres –, une lueur de stupéfaction passait dans ses yeux. Le lieu lui-même, cet étrange bric-à-brac bohème, était inattendu dans ce bel hôtel particulier d'Auteuil qui était accolé à une maison plus petite où habitait son mari : Jean de Beaumont, un autre personnage. Ils ne faisaient pas chambre à part, mais maison à part : ne les séparait qu'une vaste bibliothèque dans laquelle était aménagée une porte dissimulée qui leur permettait de se retrouver quand ils le souhaitaient tout en leur laissant cette liberté de mouvement qui était, à elle comme à lui, aussi indispensable que l'air qu'ils respiraient.

Paule de Beaumont n'accordait à la peinture que les quelques moments qu'elle parvenait à distraire de ses nombreuses occupations. Car elle avait la passion de la vie, une passion omnivore. Elle voulait tout dévorer : les êtres, les hommes, les femmes, les expériences, les lieux, les livres, les pays, avec un acharnement de fauve que la vie sociale était impuissante à domestiquer. Seuls les enfants la rebutaient : ces petits êtres criards, geignards, pleurards, toujours en quête d'affection lui semblaient un impôt insupportable exigé par une société sottement sentimentale. Ils l'agaçaient comme un bagage encombrant et inutile. Elle l'avouait d'ailleurs sans fausse honte : elle n'aimait ni les enfants des autres ni même les siens.

Les enfants représentaient pour elle les témoins à charge de son pire ennemi, bien pire que l'impôt sur le revenu : le temps qui passe. Ce temps qui amollit les chairs, cisèle les rides, empâte les visages et tue l'amour. Elle les regardait avec agacement comme les seuls obstacles à sa liberté qu'elle voulait totale. Aussi ne supportait-elle aucune sorte de barrière : ni morale, ni financière, ni sociale. Grande dame, à l'éducation soignée, la richesse ne l'enfermait pas dans sa cage dorée. Bien au contraire, elle était pour elle un tremplin qui lui permettait d'assouvir ses passions. Rien ne l'entravait.

Rien sauf son ennemi : le temps. Les ravages qu'il lui faisait subir la révoltaient. Ses innombrables opérations de chirurgie esthétique lui donnaient ce visage parcheminé, couturé, vestige d'une éphémère victoire sur l'âge. Combien d'années avait-elle gagné dans ce combat inégal ? Maintenant, la bataille était perdue. Elle le savait, mais ne se résignait pas. Elle qui avait été l'une des plus belles femmes de Paris dans les années trente, amie ou égérie de Drieu la Rochelle, d'Aragon, de Bertrand de Jouvenel, de Tennessee Williams dont elle avait fait monter les pièces, subissait avec fermeté son humiliation. Elle continuait à dompter ce corps qui lui échappait par une discipline de fer, la gymnastique, les massages. Et elle gardait l'espoir, un espoir fou, non celui d'aimer – elle était toujours aussi inflammable à l'amour – mais d'être aimée en retour. À tout prix. Même s'il fallait acheter cet amour.

Peut-être m'aimait-elle ? Pourquoi peut-être. Pas de fausse pudeur ! Elle m'aimait. Par-delà l'abîme de la différence d'âge. Ayant beaucoup d'humour, elle se moquait d'elle-même. Peut-être comme une Diane chasseresse attendait-elle un moment propice, un instant d'égarement où la proie serait à sa merci. Elle m'émouvait. Elle me rappelait Solange. Quelles étranges correspondances se faisaient en moi entre la vieille dame au visage couturé par la chirurgie et la jeune fille que j'avais aimée vingt ans plus tôt et dont j'avais partagé les affres pour reconquérir sa beauté !

Je rêvais tandis qu'elle s'acharnait sur mon portrait. Caressant par le crayon et le pinceau un être cher qui se dérobait à elle, essayant de transmuer son sentiment en art, espérant, espérant toujours que la vie lui apporterait un dernier miracle. Je l'aimais moi aussi. J'aimais sa folie qui consistait à refuser les stupides verdicts de la réalité. Je riais avec elle. Dans les premiers temps de notre rencontre, elle m'avait prévenu :

— Un jour, je me lasserai de vous. Je suis ainsi. Il ne faudra pas m'en vouloir.

Manifestement, elle ne se lassait pas. Moi non plus.

Sa vie avait été riche en épisodes fantasques. Sous l'Occupation, von Papen, ambassadeur du Reich à Ankara, lié à Odette Massigli, la femme de l'ambassadeur français, lui avait demandé de venir en Turquie pour soutenir le moral de la jeune femme éprouvée par un drame personnel. Il mettait à sa disposition un avion de la Luftwaffe. Paule n'était pas de celles qui boudent la chance d'une aventure : inconsciente des risques qu'elle prenait, elle était partie. Elle ne voyait en von Papen qu'un aristocrate de bonne souche avec lequel elle avait participé à des chasses. Ayant très peu de conscience politique, elle ne supportait pas que la guerre puisse gâcher ses plaisirs. Qu'était Hitler pour elle ? Une sorte de Bismarck mal élevé, de Kaiser brutal et sanglant qui dévastait cette Europe galante qui avait été le terrain de ses amitiés et de ses amours.

À Ankara, elle avait consolé son amie sur le Bosphore. Au bout de trois mois, il avait fallu revenir. L'Allemagne était entrée en guerre avec la Russie : von Papen était en disgrâce et il n'était pas question de monopoliser pour elle un avion de la Luftwaffe. Elle avait dû traverser l'Europe ensanglantée dans des trains bondés au milieu des réfugiés, des bombardements. Arrêtée, molestée, suspectée d'être une espionne, elle avait fini par regagner saine et sauve son hôtel particulier d'Auteuil. Mais ses déboires n'étaient pas finis. À la Libération, on lui avait demandé des comptes sur son escapade : il avait fallu l'intervention de Gaston Palewski, directeur de cabinet de De Gaulle, et de Churchill, qui connaissait les tenants et les aboutissants de cette extravagante aventure, pour la sortir de ce mauvais pas. Elle ne regrettait rien. Elle aimait le risque, la vie tumultueuse, le parfum des intrigues sentimentales à l'ombre de la grande Histoire. À sa manière, c'était une aventurière.

L'été, elle m'invitait en Corse, dans sa maison de Saint-Florent. J'y retrouvais Michel Mohrt : l'après-midi, il se muait en peintre, courant le motif, et, le soir, après le dîner, il chantait de nostalgiques chansons de marins. Nous allions en bateau avec Octave, le marin, pour des oursinades dans les criques, arrosées d'un vin blanc qui nous grisait autant que le soleil et l'austère beauté des paysages. Au retour, nous cueillions sur l'arbre des abricots sucrés et juteux. Quelque chose de magique passait dans l'air. C'était une atmosphère gaie, insouciante, de cette insouciance que donne l'argent qui a le merveilleux pouvoir de faire oublier sa tyrannie quand il s'accompagne d'amitié, de liberté, de littérature, créant ce climat d'apesanteur si proche de celui dans lequel évoluent les héros de roman.

Par quelle bizarrerie du destin suis-je aujourd'hui encore dans la maison de Paule de Beaumont ? C'est à sa fille, Jacqueline de Ribes, dont la beauté, l'élégance, le profil hiératique de grand oiseau des bas-reliefs égyptiens faisaient rêver ma jeunesse, que je dois de revenir souvent dans ces lieux qui n'ont pas changé. Je retrouve avec la fille si différente et si semblable à sa mère comme un portrait assagi qui aurait conservé les mêmes charmes tout en gommant les passions excentriques, le sentiment de la fuite du temps mais aussi son impuissance à effacer les émotions.

Bien sûr, il n'est plus de saison d'avouer sa fréquentation de ceux qu'on appelle bien improprement *les heureux du monde*, pour employer l'expression de la romancière Edith Wharton. Comme si un écrivain n'échappait pas toujours à ses fréquentations ! C'est par essence un solitaire. On n'écrit pas au milieu des cocktails et des petits-fours. Je ne veux pas jouer au sauvage. Je ne le suis pas. Mais je ne refuse pas les propositions de la vie, d'où qu'elles viennent. Je n'ai pas d'a priori à l'égard des riches, des pauvres, ni d'aucune catégorie sociale. Je crois aux êtres qui ne se contentent pas de leur milieu, qui s'affranchissent de leur classe sociale : qui sont libres.

Oui, je l'avoue, il m'est arrivé de dîner chez des comtesses, des duchesses, des princesses : Dieu, *Libération* et *Les Inrocks* me le pardonnent. J'y ai rencontré parfois des gens intelligents, passionnants et généreux, d'autres ennuyeux et égoïstes. La conclusion que j'en tire, c'est que l'appartenance sociale, si prestigieuse soit-elle, n'est rien si elle n'est pas éclairée par de belles qualités humaines. Rien sans la bonté ; rien sans l'intelligence ; rien sans le talent.

La nuit est tombée sur Paule de Beaumont. Elle survit à Saint-Florent au milieu des grands eucalyptus et des fleurs qu'elle a plantées. Elle continue de flâner dans le maquis odorant qu'elle aimait, dans la belle terre corse sauvage dont le parfum la grisait. Elle rôde toujours comme une dame blanche à la nuit tombante, belle comme elle rêvait de le rester toujours. Je la vois derrière les oliviers noueux quand le soleil n'éclaire plus. Elle me parle.

La torpédo rouge

Parfois succède aux orages les plus violents un temps clair et ensoleillé. Je connaissais avec Solange un bonheur parfait, autant que la perfection soit possible dans un domaine si menacé. Elle ne me parlait plus de Sara, je n'évoquais pas l'Espagnol. D'ailleurs, Sara, fidèle à elle-même sinon aux autres, s'en était allée vers d'autres cieux, vers d'autres amours, me laissant le seul bien auquel elle ne serait pas infidèle : son souvenir.

L'hiver était venu. La neige tombait à gros flocons et rendait les rues féeriques dans leur blancheur immaculée puis, le lendemain, sale et boueuse. C'était un peu irréel de se promener dans les allées du bois de Boulogne tandis que la neige tourbillonnait autour des chevaux aux naseaux fumants. Les cygnes avaient perdu leur superbe, tristes comme des drapeaux en berne. Solange et moi marchions main dans la main sans savoir où nous allions.

L'angoisse du bac me tenaillait. Qu'adviendrait-il de moi si j'échouais à nouveau ? Ce n'était pas les esquisses de romans mort-nés que je griffonnais qui me laissaient le moindre espoir. Écrire, être publié, cela n'était sans doute qu'un rêve qui me laissait dégrisé comme un lendemain de fête. Avais-je du talent ? En aurais-je un jour ? Qui pouvait me le dire ? Les astres ? Quel voyant aurait pu m'éclairer sur ce vaste terrain de jeux qui s'étendait devant moi : l'avenir ?

Certains jours, je reprenais espoir. D'autres, les plus nombreux, j'avais l'impression d'être voué à l'échec. Seule la lecture m'offrait plus qu'un dérivatif, une autre vie, parallèle à la mienne, tellement plus riche et exaltante. Les livres s'empilaient dans ma chambre, créant un fouillis qui était aussi celui de mon esprit en proie à des aspirations confuses.

Solange venait me retrouver. Ces moments de volupté calmaient mes angoisses. Cet opium m'apaisait. Je ne doutais pas de son amour ; elle ne doutait pas du mien. Pourtant, nous savions que nous étions condamnés à ne jamais vivre ensemble. Cette certitude donnait à nos rencontres une mélancolie semblable à celle que nous inspirait un film que nous aimions : *Hiroshima mon amour*. Nos étreintes étaient poignantes, comme si elles étaient les dernières. Pourtant, jamais le lien qui nous unissait n'avait été aussi fort.

Un soir, chez moi, elle me demanda d'éteindre la lumière. Elle ouvrit la fenêtre, se pencha légèrement comme pour emplir ses poumons de l'air glacé de la nuit.

Quelques jours plus tard, elle réitéra ce geste que je considérai comme une lubie. Quand elle recommença à une semaine de là, un pressentiment me saisit. Dès qu'elle m'eut quitté, j'ouvris à mon tour la fenêtre : je la vis apparaître sur le boulevard Montparnasse, marchant d'un pas pressé vers une torpédo rouge en stationnement au coin de la rue de Vaugirard. Elle y monta. La voiture demeura un long moment immobile. Puis elle démarra rageusement, me laissant moins jaloux que stupéfait.

Un figuier sous les étoiles

J'étais submergé par un sentiment d'irréalité. Bien loin d'éprouver quoi que ce soit qui ressemblât à une bouffée d'orgueil ou à la vaniteuse caresse d'une revanche. Je vacillais comme un homme qui a abusé des substances illicites. Mes yeux se brouillaient. Toujours comme dans *La vie est un songe*, je me demandais si j'avais atteint la terre ferme de la réalité ou si j'étais encore dans les brumes du rêve. Mon fidèle sentiment d'échec s'étonnait de me voir propulsé au milieu de professeurs au Collège de France, d'anciens ministres, de prix Nobel, d'écrivains et d'historiens fameux, statufiés dans la gloire : tous debout devant moi pour m'accueillir dans une sorte de garde-à-vous sous un grand portrait de Richelieu, selon un rite qui me rappelait fort mon ancienne initiation maçonnique. N'y avait-il pas tromperie sur la personne ? Maldonne ? Erreur d'aiguillage ?

Tous ces hommes, je les connaissais mais, ce jour-là, un halo de souvenirs les enveloppait : Michel Déon apparaissait tel que je l'avais vu à vingt ans sur le port de Spétsai, rebelle et ombrageux, descendant de son bateau pour s'installer avec moi devant un verre d'ouzo dans l'ombre fraîche d'une taverne ; Michel Mohrt, l'œil maritime, la moustache batailleuse, le bras levé, chantait debout sur une table ces mélopées de marins bretons en proie au mal d'amour ; Maurice Rheims, l'éternel chapeau cloche rose sur son front d'intellectuel, semblait prêt à affronter les chemins creux du maquis corse. Et, entre eux, se glissaient les fantômes des écrivains qui avaient sombré sur l'écueil académique : Benjamin Constant, appuyé sur ses béquilles, esquissant un sourire sarcastique ; Balzac dans sa robe de bure. Leur âme semblait poursuivre leurs rêves inassouvis, errant sans fin dans ces lieux froids comme un sépulcre.

Soudain, tout vacilla. Les visages s'effacèrent. Mon esprit s'envola. Je me retrouvai ailleurs.

J'étais sous un très vieux figuier en Corse, le soir, sur une terrasse. La voûte céleste nous imprégnait de ses mystères. De quel message sont porteurs les astres pour obtenir un silence si profond ? Nous observions les étoiles filantes. Une brise tiède transportait l'odeur poivrée du maquis qui se mêlait au parfum sucré du figuier. Ce figuier, je l'aimais comme un ancêtre. Ses membres noueux, décharnés, plongeaient leurs racines non dans la terre, mais dans les interstices des rochers où elles trouvaient une maigre subsistance. Il ressemblait aux dieux lares protecteurs des lieux. Toute la vaste maison était construite autour de lui, ombre fraîche sous le soleil, refuge au crépuscule, propice à la lecture et à la méditation. C'est sous son ombre que s'asseyait Jean d'Ormesson pour écrire, torse nu, le crayon à la main, un cahier sur les genoux.

Sous les étoiles, sa voix aiguë s'élevait. Il évoquait le big bang, un sujet qui revenait chez lui comme une litanie. Pas seulement pour l'expliquer, même si nos esprits n'étaient pas aussi familiers que le sien avec les titanesques batailles interstellaires dont les espaces sidéraux gardaient la mémoire, mais parce que ce sujet ardu était le point de rencontre de tout ce qui le passionnait : la science rejoignant la philosophie et la poésie, entremêlant leurs charmes et leurs mystères. Les milliards d'années défilaient par la grâce de l'Enchanteur qui réveillait le drame des trous noirs, donnant une vie aux étoiles mortes. Tout en l'écoutant, je songeais à la Grèce antique, à cette Grèce d'Asie Mineure où tant d'hommes avaient pensé, aimé, dans un même climat suave, mêlant la pensée et l'amour, la philosophie et l'amitié, les dieux et les jeux, et qui restaient brillants, lointains, inaccessibles, aussi inaccessibles que les étoiles.

Beaucoup d'amis étaient réunis ce soir-là et tant d'autres soirs sous la voûte céleste. Françoise d'Ormesson, brune, belle et fière comme une Andalouse, avait l'art de créer dans sa maison un climat propice à la magie qui s'opérait. Dominant un tempérament de feu, elle savait éviter les chocs entre les personnalités fortes qu'elle réunissait, pacifiant les passions, gommant les aspérités.

Jean s'interrompait au passage d'une étoile filante :

— Là-bas, derrière le cyprès !

— Moi aussi, j'en vois une, disait une voix.

— Où ?

— À droite !

— Non, c'est un Spoutnik.

À nouveau, c'était le silence. Michel Mohrt parlait de Benjamin Constant ou se courrouçait au souvenir de son ami Bassompierre ; Jean-François Deniau racontait un épisode de ses aventures et comment il avait aidé le roi d'Espagne à se rétablir sur son trône. À nouveau, c'était le silence. Une plaisanterie fusait. On riait. Une voix s'élevait.

— Une autre !

Un soir, je réussis le prodige de mettre Jean en colère. C'était après le dîner. Toujours près du figuier. Nous parlions de Marie-Antoinette. De manière bien peu originale, j'évoquais sa liaison avec Fersen. Subitement, il s'emporta. Comment pouvait-on avancer une telle ânerie ? Comment pouvais-je être aussi malveillant, injustement cancanier en prêtant l'oreille à de telles inepties ? Sidéré qu'un propos aussi insignifiant ait pu provoquer la foudre, je laissai passer l'orage, éberlué, triste de l'avoir peiné. On changea de conversation. Un peu plus tard, contrit, il revint vers moi. Toute trace de mauvaise humeur avait disparu.

— C'est bizarre, me dit-il, j'ai eu la même réaction que mon père le jour où, quand j'avais vingt ans, j'ai tenu sur Marie-Antoinette le même propos que toi. Comme c'est bizarre !

Un matin, alors que j'occupais une chambre voisine de la sienne que je partageais avec une jolie jeune fille qui était allée se baigner, me laissant paresser dans le lit, la tête à demi couverte du drap pour me protéger de la lumière, je l'entendis pénétrer dans la pièce par la porte-fenêtre ouverte de la véranda. Il croyait la jeune fille seule. La touffe de cheveux qui dépassait des draps pouvait expliquer sa méprise. Il se pencha pour lui voler un baiser. Soulevant le drap, il se trouva nez à nez avec moi ; j'eus à peine temps d'être pris dans les phares de ses yeux bleus qu'il s'aperçut de son erreur. Il eut un sursaut.

— Ah, c'est toi ! dit-il, surpris.

Et il repartit d'un pas vif, comme si de rien n'était.

Le lendemain, nous partions nager dans le saphir de la mer, à l'ombre d'une tour génoise en ruine. Dans les heures molles de la sieste, son crayon et son cahier posés sur la table du jardin, dans les récréations qu'il s'accordait, il s'entretenait avec moi. De quoi ne parlions-nous pas ? Nous parlions en marchant, pieds nus dans les sentiers du maquis, nous parlions en nageant sous la tour et nous reparlions encore le soir après le dîner ; et ces conversations inépuisables, toujours recommencées, avaient bien sûr un charme infini, mais elles étaient d'une nature telle que je n'en ai jamais connu avec personne : elles étaient drôles et pourtant sérieuses, légères et profondes, repeignant le triste monde d'une lumière, la sienne, qui enchantait la vie.

Assis ensemble sur la plage, tandis que les vagues nous léchaient les pieds, il dorlotait mes espoirs académiques, supputant mes chances. Il écrivait des noms sur le sable mouillé, se livrant à une arithmétique compliquée, additionnant les voix favorables puis soustrayant les voix hostiles : tantôt j'étais élu haut la main, tantôt battu à plates coutures. Il riait des fausses promesses qui sont le charme vénéneux de cette course d'obstacles si aléatoire. Et la mer effaçait les noms inscrits sur le sable.

Ces supputations me grisaient. Parfois, je me demandais si c'était l'Académie qui m'attirait ou l'occasion de partager avec lui un rêve. Car cela l'amusait de retrouver en moi ses aspirations de jeunesse. C'était un jeu. Tout entre nous était un jeu : la vie, l'amour, la littérature surtout, ce jeu dangereux et risqué comme la roulette russe qui exalte les émotions et, parfois, donne la mort.

J'aimais qu'il soit là ; j'aimais l'écouter ; j'aimais qu'il fasse danser la vie.

À quoi tenait notre entente ? Tant de choses auraient pu nous opposer. Peut-être à la même vision littéraire de l'existence qui nous inspirait la même exaltation à savourer ses éphémères plaisirs ; à la même croyance que tout passe, que rien ne reste, ni les amitiés, ni les amours, ni la gloire, ni les civilisations, ni même le monde, voué à disparaître, projeté, planète morte parmi les planètes mortes, infime signe dans l'infini des constellations, dans l'abîme insondable du temps.

Tout me rapprochait de lui. Pourtant, tout nous séparait : nos tempéraments, nos caractères et même notre généalogie littéraire. Jean d'Ormesson baigne dans le classicisme, un classicisme qui se ressource et se libère de ses contraintes dans la tradition grecque des corps nus, du sel attique, de cette liberté d'être et de penser irremplaçable, païenne avant que le christianisme n'ait introduit le poison du péché et de la haine du corps. C'est ce qu'il aime chez Chateaubriand : la présence de la Grèce qui fait éclater l'austère règle classique, introduit l'ivresse de la vie dans la rigide morale janséniste et sort Racine de la camisole de Boileau.

Par tempérament, c'est un homme du XVIIIe siècle : sceptique et ironique comme Voltaire ; curieux comme Diderot ; éperdu de savoir comme Buffon. Mais puisqu'il est d'aujourd'hui et de maintenant, il regarde notre époque avec une ironie amusée, ne voulant rien perdre de sa saveur ni de l'étourdissante profusion des découvertes et du champ ouvert par les sciences humaines. Tout, sauf peut-être la psychanalyse, excite sa curiosité encyclopédique. Quand notre monde lui paraît trop cul par-dessus tête, il a la ressource de prendre le point de vue de Sirius et de se dire que nos malheurs sont moins grands que ceux qui ont frappé les contemporains d'Attila ou d'Alaric. C'est cette faculté qui m'a toujours stupéfié chez lui, d'être simultanément si présent dans l'instant qu'il savoure et détaché de lui-même dans l'observation universelle.

Je me sentais, moi, au contraire, un enfant de Musset, partageant avec les romantiques la mélancolie, le mal de vivre, les fièvres bipolaires, l'impression que ma place n'est nulle part et un amour de la vie sans cesse blessé.

Pourtant, nous nous comprenions. Avec qui d'autre que lui pouvais-je partager à ce degré d'intensité le sentiment d'une parfaite communion ? Quel long chemin j'avais fait pour le rejoindre !

Une semaine plus tard, eut lieu la réception sous la Coupole. Comme je finissais de prononcer mon discours commençant par ces mots qui trahissaient mon obsession de l'énigme qui m'a hanté : « Le succès est un mystère ; l'échec est un mystère », quelqu'un derrière moi me pinça jusqu'au sang. Je me retournai : c'était Gianni Agnelli, venu de Turin. Ce pincement chaleureux, loin de me ramener à la réalité, accrut mon sentiment du romanesque. Trois années plus tard, tandis que je recevais à mon tour sous la Coupole Valéry Giscard d'Estaing, celui-ci s'approcha de moi et, dans la conversation, tandis que je l'interrogeais sur sa généalogie compliquée, lâcha ces mots : « Mon ancêtre Montalivet. »

Aussitôt Sara réapparut dans la chambre du Bois-de-la-Chaise, enveloppée par la mélodie triste des chansons de Jeanne Moreau et la mélodie, plus poignante encore, d'une passion évanouie. J'en avais peut-être fini avec les affres des candidatures à l'Académie, mais pas avec les rêves.

Je vais me marier

Solange ne put échapper à mes questions. Que signifiait la présence de cette torpédo rouge ? Pourquoi l'attendait-elle au pied de mon immeuble ? Elle s'embrouilla, s'empêtra, tâcha de se réfugier dans les mensonges qui lui avaient permis de s'esquiver de tant de situations embarrassantes. Puis elle fit front. Elle m'avoua tout : il y avait un nouvel homme dans sa vie. Il possédait les avantages que désiraient pour elle ses parents. Il voulait l'épouser. Je demeurais abasourdi. Cette franchise inhabituelle m'ôtait toute colère. Je sentais la lame froide de la douleur me pénétrer jusqu'au cœur. Cet aveu ressemblait à un verdict du destin. À quoi bon se révolter ? C'était l'ordre des choses qui s'imposait.

Dès lors, chaque fois qu'elle venait me rejoindre dans ma chambre, la torpédo rouge était immanquablement garée rue de Vaugirard. Son nouveau soupirant acceptait-il la poursuite de notre liaison que sa présence ne pouvait interrompre ? Je l'ignore. Je n'en parlais pas à Solange. Je laissais la vie suivre son cours inéluctable.

Deux mois plus tard, un soir où il neigeait, elle m'annonça :

— Je vais me marier.

Elle éclata en sanglots. Quand elle se calma, je lui demandai :

— Et nous ?

Elle me regarda et me dit, comme s'il s'agissait d'une évidence :

— Tu sais bien que je ne pourrai jamais te quitter.

La dame de cœur

Saint-Moritz sous la neige ressemblait à sa légende. On y respirait l'air tonique qui avait retapé tant de prestigieux poumons déglingués des années trente. Davos n'était pas loin. Une magie flottait au-dessus des sapins comme un Dibbouk allègre faisant un pied de nez à notre époque moderne, démocratique et égalitaire. Ici, dans la promenade autour du lac gelé, les manteaux de vison, les zibelines, les chinchillas se promenaient sans complexe. Des traîneaux passaient, faisant tinter leurs clochettes avec leur équipage de douairières sorties tout droit de la Mitteleuropa. On communiait dans le souvenir de cette époque heureuse avant que le communisme n'eût jeté à bas les trônes et condamné les aristocraties européennes au destin du Juif errant. Il restait de vieux messieurs très chics en tenue tyrolienne qui avaient dansé avec l'impératrice Zita.

Parfois, quand j'avais forcé sur le kirsch ou les cocktails sophistiqués du Cornijlia, le club huppé où les détenteurs de comptes off shore se livraient à des tractations acharnées pour forcer ce bastion d'aristocrates croulant sous les quartiers de noblesse et les prérogatives dynastiques, j'avais l'impression de croiser les fantômes de ces figures légendaires. Tous ces grands vivants trépassés partis skier sur les pentes neigeuses du ciel imprégnaient ces lieux où tant de souvenirs semblaient dilapidés, où tant de cœurs dans le secret des chalets, sur des couvertures en fourrure, avaient battu dans les fièvres de l'adultère.

C'est dans l'un de ces chalets que je me retrouvai, l'un des plus prestigieux, celui des Agnelli. Construit à l'écart, à flanc de montagne, semblable à beaucoup d'autres, il était luxueux sans être tape-à-l'œil. Pas de piscine, pas de Jacuzzi, ni de ces baignoires à glouglous intempestifs. Il semblait dédié au ski, à la famille et à l'amitié. Quelques tableaux sur les murs, un portrait d'homme d'Egon Schiele dans le vestibule, trois paysages de Klimt dans la salle à manger, des portraits du maître et de la maîtresse de maison par Andy Warhol signalaient que les propriétaires avaient des moyens au-dessus du lot. Tout me charmait : les attentions dont on était entourés, l'accueil bon enfant, la gaieté pétillante qui animait les repas, la permanente invitation à la joie de vivre qui nous jetait sur les pistes ensoleillées. Ce climat d'insouciance contredisait l'idée que je me faisais – pas toujours à tort – du monde des riches. Ici, l'atmosphère compassée, les manières rigides, l'ennui distingué, les conversations doctes et empesées étaient impitoyablement prohibés : les gens qui se croyaient importants devaient laisser leur importance au vestiaire ou dans le local à skis. La bonne humeur italienne et les traditions aristocratiques se mêlaient pour rejoindre l'art de vivre que le XVIIIe siècle français a porté à sa perfection.

J'étais logé dans un chalet plus petit, mitoyen, dévolu aux enfants de la maison. J'avais échappé aux lits superposés. Dans les chambres voisines, meublées en pitchpin, s'accumulaient les anoraks, les jeux de Monopoly, les jouets. Par la fenêtre, dans les heures vides qui précèdent le dîner, je regardais le paysage enneigé, les lumières de Saint-Moritz qui s'allumaient et je jouais avec mes rêves.

Du haut de son long cou de cygne que dessine si bien la photo célèbre que Richard Avedon a fait d'elle, Marella dominait la situation. Elle menait son petit monde sur les skis ou aux quelques rares réjouissances nocturnes avec une souriante fermeté, comme elle aurait dynamisé une colonie de vacances un peu apathique. Hors le ski, une des occupations de la maison était d'attendre le maître des lieux : Gianni Agnelli annonçait sa venue, l'annulait, puis finalement débarquait à l'improviste. Le cheveu grisonnant et ondulé, son visage toujours bronzé semblait avoir été ciselé par Donatello et moulé dans le bronze. D'une élégance de dandy, la montre brillant sur la manchette de sa chemise, marchant avec une légère claudication, vestige d'un accident de voiture, charmeur, d'une extrême courtoisie, il avait des manières douces, presque féminines, qui contrastaient avec son masque viril. Il en imposait. D'autant que sa légende l'accompagnait toujours. Il le savait mais n'en abusait pas. Prince des temps modernes, il avait conscience que rien n'est plus aimable chez les grands de ce monde que la simplicité. Je tremblais un peu à sa venue. Il m'examinait avec indulgence comme une de ces créatures évanescentes venues d'une autre planète, dépourvues d'appétit pour dévorer le monde réel, ne partageant aucun des divertissements qu'il affectionnait : le foot, l'avion, les bolides ; et ne pouvant lui apporter aucune lumière sur la gouvernance de cet empire industriel dont il tenait la barre ; un extraterrestre qui avait la lubie d'écrire et peu de capacités à agir. Lui qui vénérait l'action, qui avait été élevé dans le culte de la force, devait trouver mon activité un peu futile et, surtout, parfaitement inutile. Il ne le montrait pas. Il feignait au contraire de s'y intéresser sans insister, car c'était un homme pressé, toujours entre deux avions, deux hélicoptères, deux yachts et quelques créatures de rêve.

Tout autre était Marella. La littérature était pour elle l'instrument d'une approche avec le monde de l'irrationnel qui la passionnait. Elle aimait les romans, le vague des passions qu'ils expriment et l'ineffable qu'ils effleurent. Elle y trouvait un écho à ses préoccupations spirituelles. D'ailleurs, nos sujets de conversation de prédilection étaient l'amour et la vie spirituelle. Et leurs subtiles correspondances. Contrairement à moi, *agapé* l'intéressait plus qu'*éros*. Dans nos courses en montagne, sous des ciels différents, en se tordant les chevilles sur les rochers, nous ne nous lassions pas de ratiociner sur ce thème qui nous enfiévrait, si bien illustré par Denis de Rougemont dans son livre *L'Amour et l'Occident*. Nous rentrions le soir, épuisés moins par la marche que par l'effort intellectuel que nous avions fourni en tentant de maîtriser ces concepts insaisissables.

Elle était la vraie reine de l'Italie. Une reine accessible qui, loin de vouloir user de son pouvoir, s'efforçait d'alléger la distance que la fortune imposait entre elle et ceux qu'elle aimait : la courtisanerie, la flatterie, le snobisme n'avaient pas cours avec elle. Aussi était-elle la femme la plus proche de l'idée que je me faisais d'une héroïne de roman : c'était la Sanseverina mariée au comte Mosca. Elle était tellement une héroïne de roman que je n'ai pas pu résister à mon penchant d'en faire le personnage d'un livre un peu ésotérique, *L'Invention de l'amour*, où la vie rejoint le territoire de la magie.

Un soir, le chalet fut convié au Corvijlia, le fameux club, par des armateurs grecs si riches qu'on avait l'impression qu'ils étaient irréels. Je me retrouvai à côté de Gunter Sachs. Contre toute attente, le play-boy se révéla un personnage beaucoup plus intéressant que je ne l'avais imaginé. La conversation tomba sur l'astrologie, domaine où il était expert. Nous voilà nous envolant vers les étoiles, parlant des arcanes de la destinée, des prédictions, de tous ces fils étranges qui semblent mener les hommes comme des pantins articulés. Quand je demandai à ce grand vivant qui avait tout obtenu de la vie s'il avait eu la curiosité de dresser son propre thème astral, son visage se rembrunit :

— Mon avenir m'a toujours intéressé, me dit-il. Aujourd'hui, il ne m'intéresse plus.

Puis, comme s'il avait conscience du froid que ces paroles lugubres jetaient dans la conversation, il éclata d'un grand rire. Quelques années après, j'appris qu'il s'était donné la mort.

Marella m'entraînait dans son monde qui m'enchantait car il semblait débarrassé des contraintes de la réalité. Bien sûr, j'étais amoureux d'elle. Quand j'entendais sa voix au téléphone prononçant mon nom avec un rire cristallin, cela me pinçait le cœur. Dans le couvent d'Alzipratu qu'elle possédait en Corse, nous reprenions nos marches en montagne. Puis nous rejoignions le yacht dans la baie de Calvi. L'avion de Gianni se posait sur la piste de l'aéroport. Il arrivait bientôt sur un bateau rapide qui fendait les vagues. Torse nu, une sortie de bain bleue nouée autour des reins, il s'installait à la barre de l'*Ultima Beat*, un magnifique voilier qu'il pilotait jusque sous les falaises abruptes de la Scandola, virant de bord au dernier moment comme l'amateur d'émotions fortes qu'il était.

Le soir tombait sur la terrasse du couvent. On n'entendait plus que le gazouillis de l'eau qui serpentait entre les pierres du jardin. Le cloître semblait se recueillir pour une oraison. Des cloches sonnaient dans le lointain. Nous évoquions le jardin de Ninfa, au nord de Rome, qu'elle m'avait fait visiter, jardin tout en bassins, en vasques, voué aux eaux vives où flottait le souvenir de la princesse Caetani, mais désormais envahi par les ronces et l'indifférence. Au loin, les lumières de Calvi s'allumaient. Dans la douce tiédeur du soir, où se mêlaient les parfums de jasmin et ceux du maquis, nous parlions des *Désenchantées*, le roman de Pierre Loti qu'elle avait lu à vingt ans, à Ankara, où son père était en poste. Ce livre lui inspirait toujours la même émotion. Sans doute songeait-elle à son existence si brillante que n'avaient pas épargnée la tristesse ni le malheur. Elle n'en laissait rien voir. Puis venait le silence et, même dans ce silence, nous nous comprenions.

Un goût de dernière fois

Le cœur est décidément le plus incompréhensible des guides. Solange me quittait et j'aurais dû souffrir : je ne souffrais pas. J'aurais dû être jaloux : je ne l'étais pas. Au moins lui en vouloir : je la comprenais. Éprouver un sentiment de révolte : j'étais calme, apaisé. Depuis que j'étais devenu son amant clandestin, j'avais changé de statut. Je devenais son complice. Désormais, nous nous voyions en cachette. Les ruses qu'elle employait pour déjouer les soupçons de son fiancé me rappelaient de mauvais souvenirs : dire que j'avais été la dupe de ces stratagèmes qu'elle employait maintenant à l'égard d'un autre. Elle était experte dans le braconnage amoureux. Elle n'y voyait aucun mal. C'était la société qui nous imposait cette séparation, mais nous ne lui donnions pas pour autant l'acquiescement de nos cœurs qui battaient toujours aussi follement l'un pour l'autre. Ma chambre de bonne était devenue une adresse *brûlée*, comme on disait dans la Résistance. Ce n'était pas le seul point commun que nous avions avec l'action clandestine : il nous fallait employer des codes, un langage chiffré. Nous craignions sans cesse d'être suivis et découverts par le plus insupportable des empêcheurs de vivre : un jaloux. Un jaloux dont je ne connaissais pas le visage et qui incarnait pour moi une sorte de légitimité. Je ne pouvais me défendre d'éprouver pour lui de la sympathie. N'était-il pas celui que j'avais été, mon semblable, mon frère, soupçonneux, ombrageux, protégeant son bien avec l'âpreté d'un bourgeois possédant ?

Il nous fallait trouver des lieux de rendez-vous. Nous allions d'une chambre à l'autre, d'un appartement vide à une chambre d'hôtel borgne, avec ses draps douteux, son linoléum avachi, son armoire à glace grinçante où se reflétait notre condition misérable d'amants fugitifs. Ce jeu nous semblait romanesque et, au fond, en accord avec l'amour qui se doit d'être libre et en dehors de toute contrainte. Ce n'était pas sans mélancolie que nous nous séparions. Tout ce que nous avions vécu, les menaces qui pesaient sur nous, l'échéance proche d'une séparation définitive accroissaient notre désir de nous étreindre dans une ultime et pathétique volupté. Chacune de nos rencontres avait un goût de dernière fois. Nous étions comme les amants de Mayerling, mais d'un Mayerling d'où, chaque fois, nous renaissions de nos cendres plus désireux et plus brûlants de nous revoir.

L'Enchanteur

Encore la neige ! La station de Val-d'Isère semblait en proie aux sortilèges. Comme ces lieux envoûtés qui nécessitent la venue d'un exorciste. Fallait-il en rechercher la cause dans les belles pistes ensoleillées, l'air sapide et tonique des montagnes, la griserie des haltes dans les restaurants d'alpage où le vin blanc vous met la folie en tête, tandis que les chaussures de ski défaites fument au soleil ? Ou dans le crissement des skis sur la glace, le hâle qui maquille les visages et les rend plus beaux ; dans l'insouciance qu'inspire la haute montagne, dans l'exaltation des corps dorlotés par le sport, les bains et les massages ? Non. Un phénomène étrange se produisait, créant une ivresse collective, comme si les robustes skieurs, les dames emmitouflées dans leur doudoune qui les faisait ressembler à des ours, les moniteurs, les pisteurs s'étaient subitement adonnés au haschich, à la marijuana ou à je ne sais quelle drogue euphorisante.

L'explication était ailleurs : l'Enchanteur était là. Jean d'Ormesson était l'invité du libraire de la station pour une causerie avec moi dans les salons d'un grand hôtel, Les Barmes de l'Ours. Quel était le sujet de cet entretien public qui attirait dans ce palace nombre d'habitués de la station mais aussi le préfet, le président du conseil général ?... L'amour. L'Histoire. L'Histoire et l'amour. Autant dire toute la vie. Quelque vaine ambition que j'eusse d'exister, je savais que je devrais me contenter du rôle de faire-valoir. On ne venait pas pour moi, même si certains lecteurs érudits pouvaient être intéressés par un dialogue entre le maître et son disciple. On venait contempler un phénomène littéraire, un écrivain dont le statut dépasse de loin celui que confère la littérature. On venait prendre une leçon de vie, un bain de culture, assister à un exercice intellectuel aussi vertigineux que la descente à ski de la Vallée blanche. Certes, il ne guérissait pas les écrouelles, mais il portait remède à un mal beaucoup plus répandu : le désenchantement. Il distribuait des vitamines d'optimisme, des provisions de bonheur. Avec lui, la littérature qui, avec d'autres, suinte si souvent l'ennui et les doctes démonstrations devenait une fête.

Dans le train qui nous emmenait de Paris, j'avais pu constater l'attraction que ses yeux bleus provoquaient dans le compartiment. Les parents devenus soudain modèles disciplinaient leur marmaille, lui imposaient un silence religieux comme à la messe et chuchotaient à l'oreille des enfants qui se demandaient si le pape lui-même n'était pas parmi eux en partance pour le ski :

— Tu vois, le monsieur, là-bas...

La causerie fut, bien sûr, un succès. Elle ne pouvait manquer de l'être. Quelque mot que prononçât l'orateur, il était accueilli avec ravissement. Il aurait lu le Bottin que l'effet aurait été le même. Mais ce que le public retenait de ce colloque, c'était que son principal protagoniste disait des poèmes. C'cst en effet son péché mignon de ponctuer ses développements par des vers. Ainsi, il citait Toulet, Verlaine, Baudelaire... On n'avait jamais vu ça à Val-d'Isère. Les phrases musicales chantaient d'une manière étrange aux oreilles des spectateurs. Elles leur rappelaient leur enfance, tels, leurs parents, tel autre, un professeur admiré. Ce soir-là, les volutes mélodieuses leur semblaient l'expression de leur douce langue natale. Si les larmes ne coulaient pas, elles étaient bien proches des paupières.

L'effet fut prodigieux. Dès le lendemain, la poésie régna à Val-d'Isère. Jean d'Ormesson, les skis sur l'épaule, ne pouvait pas faire un pas sur la neige sans qu'une dame d'âge mûr, entourée de marmots et traînant une luge, s'approchât de lui pour lui susurrer d'une voix sucrée :

— *Mon enfant, ma sœur, songe à la douceur d'aller là-bas vivre ensemble.*

Courtois, il répondait :

— *Aimer à loisir, aimer et mourir.*

Tel un imprésario à cheval sur les horaires, j'interrompais le duo pour ne pas manquer le télésiège. Mais, à peine avions-nous descendu quelques pistes sous le soleil, faisant halte pour reprendre haleine, qu'un monsieur en knickerbockers s'approchait de lui, soulevait son feutre tyrolien et lui disait :

— *Je suis comme le roi d'un pays pluvieux, riche mais impuissant, jeune et pourtant très vieux.*

Nous gagnâmes le Trifolet, le restaurant d'alpage, planté au milieu des sapins. Après avoir déchaussé nos skis, nous étions agréablement installés à une table sur la terrasse ensoleillée. Le patron, tout émoustillé, nous apporta le menu et en profita pour se pencher à l'oreille de Jean et lui murmurer comme une confidence :

— *Suffit-il donc que tu paraisses, de l'air que te fait,
rattachant tes cheveux, ce geste touchant.*

Jean reprit :

— *Que je renaisse et reconnaisse un monde habité par
le chant, Elsa mon amour ma jeunesse.*

Nous étions tombés dans un piège, un délicieux piège :
le patron était fou de poésie. De plus, il avait une passion
pour Aragon. Nous n'étions pas près d'être servis. Il
reprit :

— *Ô forte et douce comme un vin, pareille au soleil des
fenêtres, tu me rends la caresse d'être.*

Jean :

— *Tu me rends la soif et la faim.*

On ne pouvait mieux dire : je voyais défiler de délicieux jarrets de veau, fumants, des boudins aux pommes
appétissants, des carafes de saint-chinian embuées,
dorées par le soleil. Le bistrotier, tout à sa marotte, continuait :

— *Il n'aurait fallu qu'un moment de plus pour que la
mort vienne.*

Jean :

— *Mais une main nue alors est venue qui a pris la
mienne.*

De temps à autre, j'avais la tentation de m'immiscer en
citant un vers à propos, mais j'avais l'esprit d'escalier : le
poème me revenait en haut des pistes ou le soir en me
couchant. Je me disais avec appréhension que rien
n'allait interrompre ce duo interminable des fous de poésie. Heureusement, le patron, pris d'une inspiration
subite, nous abandonna pour aller chercher le cahier où
il collationnait ses poèmes préférés. J'appelai une ser-
veuse. La poésie, oui, mais pas le ventre creux. Jean était

aux anges, toujours en harmonieux accord avec les situations. Je voyais dangereusement nos voisins de table se réciter entre eux des poèmes, bien décidés à faire une concurrence lyrique au bistrotier.

Quand nous repartîmes sur nos skis, laissant le patron frustré, il nous héla :

— *Est-ce ainsi que les hommes vivent et leurs baisers au loin les suivent.*

Quelques convives peu avertis eurent l'impression que des gays se faisaient de tendres adieux.

Dans le taxi qui nous ramenait à la gare de Bourg-Saint-Maurice, je dis à Jean :

— C'est dommage, avant votre venue, Val-d'Isère était une station très tranquille : personne ne s'y croyait obligé de réciter des poèmes.

Il rit de bon cœur. Quand le contrôleur du train, un moustachu, les cheveux longs tombant sur les épaules sous sa casquette réglementaire, nous réclama nos billets, je fus tout étonné qu'il ne nous récitât pas à son tour un poème. Enfin !

Le poison de la mélancolie

Solange se maria. Sa photo parut dans un hebdomadaire spécialisé, dans la chronique des altesses, car elle avait pris comme témoin un membre prestigieux du gotha. Je pensais à son père. Il devait être heureux. Tout rentrait dans l'ordre. La présence d'une altesse devait le ravir. Il avait eu chaud avec moi. Je comprenais sa défiance. Ma famille n'entrait dans aucun des cadres qui auraient pu le rassurer : personne n'y marchait droit et, après l'époque ancienne de la fortune, était venu le temps de la ruine et de la dilapidation. Aucun membre de professions honorables, ni préfet, ni banquier, ni ambassadeur n'endiguait ce tropisme de l'échec. Quant à moi, au lieu de réagir contre ce courant délétère par le travail et des vertus positives, je caressais des professions chimériques. Comme si écrire n'était pas le plus sûr moyen de devenir un traîne-savate, un raté, un de ces êtres vagues aux rêves avortés qui sont la plaie des familles. Qu'avais-je comme gage de réussite, sinon un bac enfin obtenu par l'opération du Saint-Esprit à l'âge où Jean d'Ormesson avait remporté l'agrégation de philosophie !

Je ne lui donnais pas tort. J'étais difficile à caser. Mais cela devait-il pour autant m'interdire d'aimer ? Un beau sujet de roman pour les écrivains que, décidément, il n'aimait pas : comme si l'amour n'était pas un poison dont le mariage devait vous guérir.

Si mélancolique que je fusse de perdre Solange, je ne cédais pas au désespoir. J'avais été trop heureux avec elle pour lui en vouloir. En plus de l'amour, je mesurais tout ce qu'elle m'avait apporté. Et les souffrances ne grevaient pas ce bilan. Souffrir, c'est apprendre beaucoup sur soi. C'est aussi comprendre les autres. De ce point de vue, j'étais devenu plus intelligent. Solange avait élargi mon cœur.

Elle m'avait ouvert à une autre conception de la société. Une société que, dans ma famille, on jugeait sévèrement. On y méprisait les mondanités quand elles n'avaient pas pour but de réunir des peintres, des musiciens, des sculpteurs, des écrivains, des poètes, afin de communier dans le culte de l'art. Un vieux fond de jacobinisme sévissait, hérité d'un ancêtre engagé avec les volontaires de Valmy. L'aristocratie suscitait plus de malaise que d'admiration ; cette admiration réservée exclusivement aux artistes, les vrais aristocrates. Et s'ils s'appelaient Degas ou Toulouse-Lautrec, on n'imputait pas leur génie à leur famille, mais à leur conversion à l'amour du Beau. Les académies semblaient le comble de l'arrivisme consacré : on ne leur pardonnait pas leur mépris à l'égard des impressionnistes.

Oui, on n'aimait vraiment que l'art, ceux qui s'y consacraient – pas du tout ceux qui en faisaient commerce –, et plus ils avaient souffert dans leur quête, plus ils avaient été pauvres, incompris, seuls, mal aimés, rejetés, plus on les admirait. On cultivait un jansénisme de la meurtrissure, une secrète aspiration à la flagellation, qui s'aigrissait parfois en solitude et en retrait, sécrétant un poison : la peur d'affronter les autres.

Cette famille, n'étais-je pas prêt à la trahir, à pactiser avec l'adversaire ? Si peu armé que je sois pour nourrir des ambitions, leur tumulte me réveillait la nuit. Je ne voulais pas rester enfermé dans ma famille. Je voulais vivre toutes les vies possibles.

Les volcans éteints

D'humeur maussade dans le petit matin qui avait autant que moi du mal à se lever dans le ciel pluvieux, je venais de décoller de l'aéroport d'Orly. Privé de petit déjeuner en raison de l'heure si peu chrétienne, je prenais mon mal en patience. J'espérais que ce déplacement dans la France profonde m'apporterait des dédommagements à ces désagréments : des lecteurs empressés, des compliments, des éloges emphatiques que les notables de province savent si bien trousser. L'accueil serait à coup sûr chaleureux comme il est d'usage envers un visiteur venu faire une conférence. D'autant plus, quand il appartient à une institution plusieurs fois centenaire qui, en province, impressionne encore. Prévoyant une délicate attention, j'imaginais qu'on m'avait réservé une chambre, certes un peu vieillotte mais pleine de charme, dans un des châteaux-hôtels de la région. Je pourrais y dormir sur mes lauriers, en l'occurrence les louanges et les panégyriques des édiles auxquels on ne croit guère mais qui font du bien : aucun baume n'est de trop pour les auteurs, éternels écorchés vifs. Je me régalais par avance de cette nuit dans un donjon, sur un lit à baldaquin, à dialoguer avec quelques fantômes.

J'avais été touché par l'insistance des organisateurs qui m'avaient convié. Les bénévoles des associations culturelles ont bien du mérite d'essayer de remuer l'indifférence du public s'agissant des écrivains. Certes, je n'étais pas positivement emballé de me rendre dans une ville qui ne brillait pas par son charme et dont l'accès était de surcroît malaisé. Mais j'avais cédé. Par devoir ? Par vanité ? Pour avoir l'air simple et bon garçon ?

L'avion avait du retard. Il fut pris dans un orage. Ma voisine était malade. L'avion finit par atterrir. L'organisateur m'attendait. D'un tempérament jovial, il me fit une description radieuse de la journée qui m'attendait.

— Et l'hôtel ? demandai-je d'un air dégagé.

Il prit un air fin.

— Il y a un très bon hôtel ici, un château très confortable. Nous avons l'habitude d'y loger nos invités de marque... Hélas, il est fermé. J'ai jugé préférable et beaucoup plus pratique de vous installer à l'hôtel de l'aéroport qui est modeste, certes, mais qui vous permettra d'être sur place pour votre retour demain, à six heures trente.

J'essayai de prendre un ton enjoué pour dissimuler ma déception.

La suite fut surtout une longue attente dans une salle de la mairie. Enfin, arriva l'heure de la signature dans la librairie phare de la ville, qui serait suivie de l'apothéose : ma conférence au Grand Théâtre.

Quand j'arrivai dans la librairie, une foule importante de lecteurs se pressait devant les deux tables prévues pour la signature. Malheureusement, je m'aperçus vite que ce n'était pas moi qu'ils attendaient, mais la star de la région : Madame Jeanne Bouvier-Chapel, dont une énorme photo était accrochée au-dessus de la table voisine de la mienne où elle devait s'installer. Auteur de *Volcans d'Auvergne, réalités et légendes*, elle avait évidemment des titres pour empiéter sur mon heure de gloire : professeur émérite des universités, ancienne élève d'Amédée Dutronc, mort carbonisé au cours d'une de ses expéditions en Indonésie, elle avait fait une brillante carrière d'édile au conseil général qui publiait son livre définitif.

Au-dessus de ma table, une photo de moi considérablement plus petite me donnait une leçon bien méritée de modestie. Quand Madame Bouvier-Chapel apparut dans la librairie, la colonne de ses lecteurs frémit. C'est impossible de lutter contre les volcans ! Mes livres sur l'amour avaient beau être brûlants, ils ne pouvaient rivaliser. Quelques lecteurs égarés venaient soupeser mes romans d'un air dubitatif. Une dame autoritaire me demanda d'un air rogue, en posant son parapluie sur mes livres :

— Vous n'êtes pas de la région ?

— Non.

— Vous n'avez pas d'attaches ici ?

— Aucune !

— Ah bon, dit-elle. C'est dommage !

Ce qui équivalait à un jugement irrévocable.

Enfin, le soir arriva. L'organisateur réapparut, toujours jovial.

— Alors, tout s'est bien passé ?

— Très bien, dis-je d'un air pincé.

— Tant mieux, tant mieux. Car, pour la conférence, nous avons de légers contretemps. Rien de grave, rassurez-vous. Les employés du théâtre sont en grève.

Nous avons donc cherché une salle disponible, ce qui, vous vous en doutez, n'est pas commode. Surtout au dernier moment. Heureusement, le proviseur du lycée a accepté de nous héberger. Je vous accompagnerai. C'est assez difficile à trouver car il s'agit de l'annexe et elle est en travaux.

Nous voilà partis dans un dédale de rues sombres, puis un autre dédale de couloirs, nous faufilant entre les échafaudages, les tas de sable et les sacs de plâtre.

Tout en me guidant, l'organisateur me dit sur le ton de la confidence :

— Nous avons eu une tuile cet après-midi. L'adjointe au maire chargée de la culture, qui devait vous présenter, a dû être hospitalisée d'urgence pour accoucher. Elle a été remplacée par l'adjoint aux sports.

Il ajouta d'un air entendu :

— C'est un littéraire. Il a fait des études de lettres. Ne me demandez pas lesquelles.

Puis, en me serrant l'épaule :

— L'important, c'est que ce ne soit pas un matheux.

Dans la salle, entre les chaises vides qui paraissaient nombreuses, quelques courageux invités avaient pris place. Une atmosphère de désolation planait.

Enfin, le premier adjoint sauta prestement sur l'estrade et commença son discours :

— C'est un honneur pour nous de vous accueillir ici aujourd'hui, cher Monsieur Jean-Marc Ronard de la Comédie-Française. Vous qui appartenez à une illustre famille, les Ronard, amis de Degas, de Monet… Nous sommes heureux que vous ayez choisi notre ville, notre région célèbre par ses volcans…

À ce dernier mot, je décrochai. Mon esprit s'enfuit,

loin des volcans, des adjoints au maire. Je me remémorai mes efforts pour être publié, les échecs que j'avais essuyés. Je me dis alors que rien de ce qui m'arrivait n'était très grave. Faire tant d'efforts pour exister et, finalement, être pris pour un autre était irritant. Mais n'est-ce pas la condition des écrivains selon Tchekhov : « Endurer, toujours endurer. » Le pire écueil de l'Académie, quand on a désiré y entrer, c'est de ne pas être élu. Mais il existe un écueil pire encore, où on risque de sombrer une fois élu : se croire important. Ce risque, aujourd'hui, je ne le courais pas.

Le soir, sur le lit infâme de l'hôtel de l'aéroport, aux draps si douteux que je m'étendis tout habillé, je me livrais à mes éternelles réflexions sur *La vie est un songe* où le cachot succède au palais. J'aurais encore préféré le cachot à cet horrible hôtel. Je détricotai ma vie en imaginant tous les échecs, beaucoup plus graves, auxquels j'avais réchappé et à la chaîne des chances qui m'avait conduit, selon la raison suffisante du docteur Pangloss, à cette journée extravagante au pays des volcans éteints.

Je t'aimerai toujours

Une autre vie commençait sans Solange. Mais le nouvel amour que j'ébauchais paraissait bien pâle en comparaison de la passion que je venais de vivre. Solange demeurait présente, son parfum s'étendait encore sur toute chose. J'habitais un petit studio non loin de la place de la Croix-Rouge. Je flânais place Saint-Sulpice jusqu'au jardin du Luxembourg. C'était terrible de se dire qu'après avoir tant aimé je pouvais continuer à vivre, à aimer encore. Comme ces arbres du Luxembourg si dépouillés l'hiver et qui ressuscitent au printemps, plus feuillus, plus robustes. La mélancolie flottait sur cet épisode sentimental. Un premier amour auquel on se donne tout entier laisse forcément un sentiment de vide. J'avais la nostalgie des moments de folie que je venais de vivre. Il me semblait que je ne les retrouverais plus jamais, que la source de la passion s'était à jamais tarie.

Souvent, un souvenir de Solange tintait en moi au rappel d'un signe qu'il évoquait : le parfum Miss Dior, les chansons de Léo Ferré, les poèmes d'Aragon, le nom de Donzère ; lorsqu'on évoquait un de ces fameux « amis de ma sœur » qui continuaient d'évoluer comme des demi-dieux dans leur sphère inatteignable.

Un après-midi, la sonnerie de la porte retentit. J'étais en train de lire *La Sonate à Kreutzer*, qui me rappelait cruellement mes accès de jalousie. J'allai ouvrir : c'était Solange, souriante, chaleureuse, toujours pleine d'exubérance. Je balbutiai :

— Tu...

Elle mit un doigt sur ma bouche.

— Tu sais bien que je t'aimerai toujours.

Déchiré entre deux mondes

Quand Claude Lévi-Strauss eut cent ans, je lui écrivis. Je n'espérais pas de réponse. Quelques jours plus tard, une lettre arriva. Je reconnus aussitôt l'écriture. C'était un mot bref, mais plein d'une affectueuse sollicitude, aussi démonstratif que pouvait l'être ce génie isolé dans sa forteresse intérieure. Cela me toucha. Quelques mois plus tard, il mourut. On me demanda de prononcer son éloge à l'Académie. Tandis que je me replongeais dans ses livres, j'étais frappé de l'écho qu'ils avaient en moi. Quelle distance abyssale nous séparait ! Quel effrayant contraste entre son parcours marqué par l'excellence et mes tâtonnements et cafouillages ! Pourtant, si prétentieux que cela puisse paraître, j'éprouvais sinon un sentiment de fraternité, du moins l'impression que, dans son langage savant, souvent ardu, il traduisait mes doutes non seulement sur notre société, mais sur notre civilisation. Sa parenté avec Montaigne, qu'il soulignait lui-même, me sautait aux yeux, même s'il y a loin du style si imagé du chaleureux Gascon qui s'épanche sans fausse pudeur à la froide rigueur du grand professeur qui répugne à parler de lui. Montaigne est peut-être l'écrivain qu'il aurait rêvé d'être : un artiste qui donne la plus savoureuse des formes à sa pensée, qui fait chanter la langue. Mais aussi un homme qui veut tout comprendre, sans être la dupe de quiconque, ni de lui-même. Ce qui attirait Lévi-Strauss chez lui, c'était, sous les dehors d'une modeste acceptation de l'ordre des choses, une absolue liberté de penser qui dynamite le confort intellectuel et déracine nos certitudes d'hommes civilisés.

Montaigne nous dégrise de toute tentation de nous croire supérieurs. Je le soupçonne même de nous trouver moins humains que les cannibales, dont les innocentes pratiques nous semblent, à nous, Occidentaux, le comble de la barbarie. Lévi-Strauss partage son sentiment. Il y voit, comme lui, l'expression de notre aveuglement et de l'impossibilité où nous sommes de penser l'autre en dehors de nos critères bornés, sans nous inquiéter outre mesure de notre propre barbarie aux conséquences considérablement plus meurtrières que les traditions sacrificielles des prétendus sauvages.

Tandis que j'évoquais l'œuvre de Lévi-Strauss sous le portrait de Richelieu, je fus pris d'une sorte de vertige. J'étais sur les bords de l'Amazone, tel que je l'ai vu, lorsque le grand fleuve mêle son cours à celui du río Negro charriant du tchernoziom, dans cette confluence qui semble enchanter les dauphins roses qui batifolent dans les eaux noires.

Je voyais un village sur pilotis, les huttes de palmes tressées, entourant un feu de bois que tisonnaient les filles nues tout en tendant leurs mamelles à des marmots aux yeux rieurs. C'est dans un village semblable, chez les Bororos, que Lévi-Strauss avait vécu à demi nu, partageant l'existence de ces indigènes qui semblaient sourire en permanence tant ils vivent en harmonie avec la nature. Même s'il n'avait pas le nez percé par un os, ni ne brandissait son étui pénien, il avait dû les suivre dans la forêt vierge pour chasser à la sarbacane des cochons sauvages. Il avait dû se défendre comme eux des crocodiles et des piranhas, mais surtout contre le plus dangereux des prédateurs, l'homme prétendument civilisé, destructeur de forêts et voleur de femmes. Ce peuple édénique, si menacé, qu'il avait étudié et aimé, comment n'en serait-il pas resté imprégné comme une mer intérieure qui continuait d'irriguer sa vision de la société ?

Je comprenais ce qui m'attachait à lui : son déchirement entre deux mondes et la forme d'errance intellectuelle à laquelle il le condamnait. Comment concilier son expérience chez les Bororos, toute colorée de magie, de merveilleux, avec son cursus solennel de cartésien ? Le savant, l'ethnologue, le professeur au Collège de France devait se sentir happé par les souvenirs. Cette double expérience, qui excitait sa réflexion sur les invariants de l'homme, dissolvait ses certitudes sur le bienfondé des principes de la civilisation dont il était le pur produit ; civilisation hégémonique, intolérante sous ses dehors de tolérance, profondément guerrière sous ses protestations de pacifisme ; surtout aveugle dans son illusion d'être supérieure à toutes les autres. Cette double appartenance le rendait différent, comme étranger à ses confrères. Elle donnait à sa pensée un caractère subversif. Sa démarche avait quelque chose de solitaire et de désespéré. Non seulement il doutait de la société mais, athée, il ne voyait pas non plus d'issue dans le spirituel : « L'homme trouve des satisfactions sensibles à vivre comme si la vie avait un sens bien que la sincérité intellectuelle assure qu'il n'en est rien. »

On jugera peut-être ridicule que l'on puisse, comme je le fais, s'identifier à un génie. Mais qu'ai-je fait d'autre ? Qu'ont-ils fait d'autre, avant moi, les écrivains, les peintres, les musiciens ? N'ont-ils pas procédé ainsi par infusion ? On me dira que je m'égare. Certes, il m'est difficile de hisser, à l'égal des Bororos, l'intérêt ethnologique des pêcheurs de Noirmoutier parmi lesquels j'ai passé mon enfance. Mais c'était également une société immobile où les enfants reproduisaient les gestes et les activités de leurs parents ; leur existence était réglée par les éléments non au bord d'un large fleuve, mais face à l'océan, tout aussi fructueux et dangereux que l'Amazone ; ils étaient à leur manière menacés par le monde moderne qui allait détruire leur mode de vie ancestral et tout aussi ravagés par l'alcool. Mon autre tribu, ma famille de peintres, n'était pas moins immobile. Elle restait figée dans sa monomanie, le pinceau à la main, indifférente à l'Histoire et aux mouvements sociaux, attachée à être en harmonie avec la nature, à peindre indéfiniment les arbres et les miroitements de l'eau vive. Depuis trois générations, elle restait fidèle aux mêmes totems : Degas, Ingres, le Louvre. Aux mêmes tabous : ne pas s'écarter de la nature sous peine de mort, ne pas croire à l'hérésie progressiste.

Seule la famille de Solange était dynamique : c'est pourquoi elle m'attirait. Ces bourgeois avaient l'appétit de la conquête sociale, le snobisme les stimulait, le désir d'accroître leur statut les fouettait d'impatience à se dépasser. Dussent-ils laisser des morts sur le carreau ! Moi, en l'occurrence ! Mais un mort qui, comme au théâtre, s'était relevé dès le rideau tombé, pas mécontent au fond de ce coup de fouet salutaire infligé par la vie.

Je n'ai trouvé de solutions pour me sauver de ma généalogie sociale embrouillée et des tiraillements qu'elle impliquait que de me livrer à la seule activité qui permette l'alliance des contraires, l'harmonisation de mes contradictions : écrire. J'avais hérité d'une palette : je me suis contenté de dessiner des histoires, de pastelliser des souvenirs et de peindre des rêves.

Ne pars pas avant moi

L'orage va éclater. Tout l'annonce, comme le déchaînement bienfaisant d'un spasme amoureux. La mer couleur d'ardoise se tend. Elle frémit sous un ciel lourd de nuages sombres. La baie, si paisible d'ordinaire, semble se crisper pour se libérer des forces qui la compriment. La touffeur est insupportable. Elle pèse d'un poids si lourd que le maquis devient silencieux : criquets et cigales ne font plus entendre leurs castagnettes. Pas un brin de vent. L'air est immobile. Le maquis retient sa respiration : on ne sent plus l'haleine épicée de ses épineux. La cime des grands eucalyptus se met à ondoyer. L'attente devient angoissante. Et si l'orage n'éclatait pas ? S'il se contentait d'agacer les nerfs ! Un éclair strie le ciel, suivi d'un grondement. Quelques gouttes tombent sur le sol, puis l'averse se déchaîne. Elle fait monter de la terre desséchée des arômes de miel et de boue. Le paysage de Saint-Florent à la joliesse italianisante devient gris sous un ciel tourmenté. C'est comme si on déversait le tumulte d'un opéra de Wagner sur la mélodie aérienne d'un quatuor de Mozart.

Ce panorama que j'observe m'est familier. Seul l'orage lui apporte une touche nouvelle. Combien de fois l'ai-je contemplé, toujours semblable et toujours différent, selon les perspectives qu'offrent les chemins creusés dans le maquis et son mur de parfums musqués ! La pluie ajoute une odeur fade de vase et de bois mouillé. Cette fois, je regarde ce paysage avec une tout autre impression : comme si je le retrouvais après une longue absence. Avec un rien de mélancolie et d'apitoiement sur moi-même. J'ai failli le perdre à jamais. Pas seulement lui, mais aussi tout ce qu'il suscite de souvenirs, d'émotions, de visages inextricablement mêlés. À la ferveur que j'éprouve dans sa contemplation s'ajoute une nuance désolée, comme s'il était enveloppé d'un crêpe funèbre. C'est qu'il vient de m'arriver une étrange histoire, une histoire pourtant terriblement banale, qui se produit si souvent depuis que le monde existe qu'elle ne peut vraiment pas m'honorer de la moindre originalité : tout bonnement, j'ai failli mourir.

Pour dire les choses : rien comme cette mort si proche ne m'est apparu à ce point banal. Tout le théâtre que mon imagination orchestrait autour de la mort, le tohu-bohu, les flonflons et les grandes orgues dont je l'entourais m'ont semblé bien grandiloquents en face du phénomène insignifiant dont j'étais l'objet. Moi qui me suis tant passionné pour la folle question de la destinée – pourquoi cela arrive-t-il ? pourquoi ceci n'arrive-t-il pas ? – j'attendais de la mort qu'elle se manifestât avec un peu plus de majesté, des estafettes, des clairons. Napoléon, dans ses derniers instants, espérait que sa fin serait accompagnée de l'apparition d'une comète, à l'instar de César. La comète n'a pas été au rendez-vous. Philosophe, Napoléon s'est exclamé : « On peut tout aussi bien mourir sans comète. »

C'est peu dire que je n'ai pas eu de comète. J'ai failli quitter la vie sur la pointe des pieds. Je pense à *La Mort d'Ivan Ilitch* de Tolstoï, le seul roman qui saisisse sans pathos, dans sa triviale banalité, le passage d'un homme dans l'autre monde.

Je suis envahi par un flot d'images : me vient à l'esprit ce capital de souvenirs que j'ai accumulé. J'ai l'impression d'être un épargnant à qui on signale le montant de son compte livret à la Caisse d'épargne et qui s'aperçoit qu'il est plus riche qu'il ne croyait. Hélas, ce trésor, il est comme l'emprunt russe : il n'est convertible en aucune monnaie. Il n'intéresse au fond que moi. Je me mets à faire le compte de mes souvenirs : toutes ces vies vécues en une seule vie soudain chancelante. Ce patrimoine d'amours, de fièvres, d'ambitions, d'illusions, de passions, de souffrances qui s'accumulent dans la récapitulation d'une existence.

Devant ce paysage que j'ai tant de fois parcouru avec lui, comment ne penserais-je pas à Jean d'Ormesson et au mystère de notre rencontre il y a si longtemps, qui a métamorphosé le personnage imaginaire en homme réel : un article que j'avais écrit sur Gabrielle Russier l'avait intéressé. Il m'avait téléphoné. Et, grâce à ce fil du téléphone, deux mondes qui, pour moi, ne pouvaient se réunir avaient fait leur invraisemblable jonction.

Cette mer, les montagnes de Corse et les buissons musqués, que d'ombres s'attachent encore à leurs branches épineuses ! C'est banal de croire que les lieux restent hantés par ceux qui les ont aimés. L'animisme des Bororos subsiste en nous. C'est le *sunt lacrimae rerum* de Virgile qui a inspiré tant de poèmes languides. Je pense à Manet, auquel j'ai songé à consacrer un livre que je n'écrirai jamais ; à sa fin affreuse après la boucherie que fut l'amputation de sa jambe à Rueil, sur une table de cuisine, avec pour seule consolation les lettres tendres de Méry Laurent. Je pense à Berthe Morisot, qui a écrit dans ses carnets la phrase la plus belle et la plus désolée qu'on puisse confier à soi-même quand on s'apprête à quitter le monde . « Mon ambition se bornerait à fixer quelque chose de ce qui passe ; quelque chose, la moindre des choses ; une attitude de Julie, un sourire, une fleur, un fruit, une branche d'arbre et, quelquefois, un souvenir plus spirituel des miens, une seule de ces choses me suffirait. »

J'ai l'impression d'appartenir comme elle à cette race qui se désespère de ne trouver rien qui lui apporte la preuve de son existence, sinon en la mettant en peinture ou en mots. Ces mots, capables de façonner les visages et les paysages, il me semble qu'ils me relient à la seule vie par laquelle j'existe. Comme j'aime ce rite funéraire accompli sur les falaises de Bandiagara à l'annonce de la mort de Marcel Griaule, le merveilleux ethnologue qui avait consacré son existence aux Dogons : solennellement, le chaman a brisé son crayon.

Je me souviens de Sara qui est morte et que, lâchement, je n'ai pas voulu revoir de peur que la femme qu'elle était devenue n'abîme le rêve que je gardais d'elle. Et Solange qui, elle aussi, est morte m'apparaît ; et Maurice Rheims avec son chapeau cloche rose au milieu de ses oliviers ; Jacques Vergès envoyant la fumée d'un bâton de chaise sur son échiquier sculpté dans le jade ; Paule de Beaumont qui a perdu son dernier combat avec son ennemi : le temps ; Gianni Agnelli si puissant, si impérial dans la vie réelle, dont la légende s'éloigne peu à peu ; et le père de Solange, a-t-il rejoint le duc de Castries dans les aristocraties célestes ?

Qu'est-ce qui demeure encore ? L'image de l'Indonésienne sous la pluie, dans le jardin du Luxembourg, sous le parapluie rouge. La chambre de Sara au Bois-de-la-Chaise. Sara revenant du bal à Ferrières dans sa robe de satin mauve. Ma chambre de bonne envahie par les odeurs de friture. Le château de Donzère qui illustrait les sortilèges d'un monde inatteignable. Et le Far-West, l'infâme bouge où je m'étais réfugié. La belle actrice de mauvaise humeur à Corfou. Les étoiles filantes sous l'antique figuier de Fornali. Val-d'Isère en proie à la folie où tout le monde se mettait à réciter des poèmes. Ces visages et ces paysages défilent devant moi, aussi familiers et énigmatiques que les hiéroglyphes que j'ai admirés à Louxor. Seule me manque la pierre de Rosette. Quel sens, tout cela ?

Le soleil réapparaît éclairant le cap Corse, effaçant le souvenir de l'orage. Un petit nuage rose a même l'impudence de gambader au-dessus de l'horizon. Je regagne ma chambre. Un message de Jean d'Ormesson m'attend : « Ne pars pas avant moi. »

Œuvres de Jean-Marie Rouart (suite)

Chez d'autres éditeurs

OMAR, LA CONSTRUCTION D'UN COUPABLE, *essai*, Éditions de Fallois, 2001.

LIBERTIN ET CHRÉTIEN, *entretiens avec Marc Leboucher*, Éditions Desclée de Brouwer, 2004.

GORKI, L'EXILÉ DE CAPRI, *théâtre*, L'avant-scène théâtre, 2006.